ESPAÑOL LENGUA EXT

Libro del alu

PASAPORTE

PASAPORTE ELE

Nivel 2

A2

Matilde Cerrolaza Aragón
Óscar Cerrolaza Gili
Begoña Llovet Barquero

Primera edición: 2008
Primera reimpresión: 2010
Segunda reimpresión: 2011

Autores: Matilde Cerrolaza Aragón, Óscar Cerrolaza Gili, Begoña Llovet Barquero.

Dirección y coordinación editorial: Departamento de Edición de Edelsa.
Diseño de cubierta: Departamento de Imagen de Edelsa.
Diseño y maquetación de interior: Dolors Albareda.

Imprime: Egedsa.

ISBN: 978-84-7711-396-6
Depósito Legal: B-19925-2011

Impreso en España / *Printed in Spain*

Fuentes, créditos y agradecimientos:

Fotografías y otros documentos:
- © Antonio López, VEGAP, Madrid, 2008, pág. 28.
- Cordón Press: foto de Sara Baras, pág. 56; la novia de negro, pág. 84.
- Penélope Cruz; © Paola Ardizzoni y Emilio Pereda: págs. 19 y 138.
- Carteles: *Volver, Todo sobre mi madre, Tacones lejanos, ¿Qué he hecho yo para merecer esto?, Mujeres al borde de un ataque de nervios,* págs. 135 y 139, © El Deseo D.A.S.L.U. (Producciones cinematográficas).
- Pedro Almodóvar; © Paola Ardizzoni y Emilio Pereda: págs. 132 y 133.
- María Sodore: pág. 41.
- Alicia Iglesia: pág. 36.
- María José González: pág. 112.
- Juan Ramón Brotons: págs. 113, 140 y 141.
- Pilar Justo: pág. 127.
- Agencia inmobiliaria Bueno & Ferreira: págs. 128 y 129.
- Begoña Llovet: pág. 11.
- Zara, grupo Inditex, pág. 83.
- © Seridec, págs. 6, 7, 33, 36, 47, 49, 50, 51, 62, 63, 65, 69, 70, 73, 77, 79, 87, 88, 90, 91, 92, 94, 96, 97, 98, 99, 101, 102, 103, 104, 105, 108, 110, 111, 115, 116, 117, 118, 119, 120, 121, 122, 123, 124, 127, 128, 129, 131, 136, 137, 143, 148, 150, 151, 152, 154, 155, 157, 161, 164, 166, 167.

Ilustraciones:
Alejandra Fuenzalida.

CD audio:
Locuciones y Montaje Sonoro: ALTA FRECUENCIA MADRID. Tel. 915195277, www. altafrecuencia.com
Voces de la locución: Juani Femenia, Carmen Ramírez, Jaime Moreno y José Antonio Páramo.

Prólogo

La innovación más importante en los últimos años en el mundo de la enseñanza de idiomas es la aparición del *Marco común de referencia*, obra fundamental en la que se plasman las últimas investigaciones sobre el aprendizaje y la enseñanza de lenguas. El *Marco* es un instrumento de valor incalculable, que ha iniciado un nuevo proceso de ayuda y cambio para todas las personas que nos dedicamos a esta hermosa tarea.

Con **Pasaporte ELE** queremos ofrecerte un material para aprender español de forma novedosa, utilizando las ideas recogidas en el *Marco común de referencia* y en los *Niveles de referencia para el español*, que te va a ayudar a conocer, comprender y utilizar el español de forma práctica.

Para ello, este libro está compuesto por seis **módulos**. Cada uno trabaja un aspecto temático de la lengua que te va a ser útil para poder hablar de ti mismo y de los demás, viajar a un país hispano, utilizarlo en tu trabajo actual o futuro, hablar en clase y, en definitiva, comunicarte con un hispano.

Cuando utilizamos una lengua (la tuya o el español), no hablamos igual con amigos y familiares que con personas que no conocemos o en el trabajo. En cada contexto utilizamos unas expresiones y unos tipos de textos diferentes. Por eso, cada módulo está formado por los cuatro ámbitos de uso de la lengua (**Ámbito personal, Ámbito público, Ámbito profesional** y **Ámbito académico**). Esta división te va a ayudar a poder utilizar la lengua de una manera más adecuada a cada situación. En cada ámbito te presentamos algunos documentos reales con los que tienes que familiarizarte para poder manejarte mejor en español ahora y en el futuro.
Además te proponemos un aprendizaje activo, dinámico y centrado en ti, porque te presentamos **acciones** (actividades de uso cotidiano de la lengua) que te van a permitir prepararte para usar el español correctamente en los contextos que necesitas, ya que vamos a apoyarnos en los conocimientos que ya tienes de tu propia lengua y cultura y del mundo para desarrollar nuevas **competencias** (gramaticales, léxicas, funcionales, fonéticas y ortográficas, y sociolingüísticas) en español.
Pero no se puede olvidar que aprender una lengua es aprender también una cultura, es conocer a los otros de forma más auténtica. Así, vas a encontrar muchas actividades de trabajo pluricultural y páginas de conocimiento sociocultural.

En todo momento te vamos a permitir autoevaluarte, para que puedas saber cómo vas en tu aprendizaje del español, con un Portfolio y con un Laboratorio de Lengua en el Ámbito académico.

En definitiva, **Pasaporte ELE** te propone un aprendizaje basado en el **enfoque por competencias dirigido a la acción**.

Los autores.

Módulo 1 Pág. 6

hablar de las personas

Ámbito Personal 1.

Creas un *blog* personal.

- **Competencia léxica:** los adjetivos de carácter y los estados de ánimo.
- **Competencia funcional:** hablar del carácter y de los estados de ánimo.
- **Competencia gramatical:** uso de *ser* y *estar* con adjetivos.
- **Competencia sociolingüística:** los apelativos cariñosos.
- **Competencia fonética y ortográfica:** repaso de la acentuación de la palabra.

Ámbito Público 2.

Eliges programas de televisión.

- **Competencia funcional:** expresar preferencias.
- **Competencia léxica:** los deportes.
- **Competencia gramatical:** el género de los sustantivos.
- **Competencia sociolingüística:** hacer un cumplido (1).
- **Competencia fonética y ortográfica:** el silabeo.

Ámbito Profesional 3.

Lees y eliges una oferta de trabajo.

- **Competencia léxica:** las características profesionales.
- **Competencia funcional:** expresar la causa y la opinión.
- **Competencia gramatical:** las oraciones causales.
- **Competencia sociolingüística:** las exclamaciones de uso social.
- **Competencia fonética y ortográfica:** la separación en sílabas de grupos de letras.

Cultura hispánica

Don Quijote de la Mancha.

- Los personajes.
- El idealismo y el realismo.
- El personaje universal de tu literatura.

Enfoque arte

La pintura: Antonio López, *La Gran Vía*.

Ámbito Académico 4.

Portfolio: evalúa tus conocimientos.
Laboratorio de Lengua: refuerza tu aprendizaje.

Módulo 2 Pág. 34

hablar del pasado

Ámbito Personal 5.

Creas tu álbum en Internet o presentas unas fotos.

- **Competencia léxica:** los verbos para hablar de la vida de una persona.
- **Competencia gramatical:** el pretérito indefinido.
- **Competencia fonética y ortográfica:** la *ce* y la *zeta* en el indefinido del verbo *hacer*.
- **Competencia funcional:** relatar en pasado.
- **Competencia sociolingüística:** las etapas de la vida.

Ámbito Público 6.

Participas en una tertulia y presentas a un personaje importante.

- **Competencia léxica:** los estilos artísticos y los términos para describir un cuadro.
- **Competencia fonética y ortográfica:** la pronunciación de los grupos *cr, cl, cc* y *c* + consonante.
- **Competencia funcional:** informarse de las salas de un museo.
- **Competencia gramatical:** los marcadores temporales.
- **Competencia sociolingüística:** los turnos de habla.

Ámbito Profesional 7.

Completas tu currículum para poder encontrar un trabajo.

- **Competencia léxica:** los títulos.
- **Competencia sociolingüística:** presentar un currículum.
- **Competencia funcional:** la entrevista de trabajo.
- **Competencia gramatical:** *hace, hace que* y *desde hace*.
- **Competencia fonética y ortográfica:** la *ce*, la *zeta* y la *cu*. El seseo.

Cultura hispánica

Argentina, España y México.

- Imágenes significativas.
- Un poco de historia.
- Pautas históricas de tu país.

Enfoque arte

El baile flamenco: Sara Baras.

Ámbito Académico 8.

Portfolio: evalúa tus conocimientos.
Laboratorio de Lengua: refuerza tu aprendizaje.

Módulo 3 Pág. 62

describir la ropa

Ámbito Personal 9.

Describes la ropa para identificar a una persona.

- **Competencia léxica:** la ropa y los colores.
- **Competencia fonética y ortográfica:** la pronunciación de los grupos *br, bl* y *bs*.
- **Competencia gramatical:** las oraciones relativas y los verbos de emoción y gusto.
- **Competencia sociolingüística:** hacer un cumplido (2) y expresar modestia.
- **Competencia funcional:** elegir una prenda.

Ámbito Público 10.

Compras ropa por Internet.

- **Competencia funcional:** comprar ropa en una tienda.
- **Competencia sociolingüística:** en los comercios.
- **Competencia léxica:** la ropa y los materiales.
- **Competencia fonética y ortográfica:** la pronunciación de los grupos *tr* y *dr*.
- **Competencia gramatical:** los pronombres personales de objeto directo e indirecto.

Ámbito Profesional 11.

Haces una reclamación.

- **Competencia gramatical:** el pretérito perfecto.
- **Competencia léxica:** los motivos de una reclamación.
- **Competencia funcional:** reclamar.
- **Competencia sociolingüística:** ser amable.
- **Competencia fonética y ortográfica:** la pronunciación de los grupos *pr* y *pl*.

Cultura hispánica

La moda en España.

- Las normas de vestir en España.
- La combinación de colores.
- Algunos diseñadores españoles.

Enfoque arte

Diseño de moda: F. Montesinos, *novia de negro*.

Ámbito Académico 12.

Portfolio: evalúa tus conocimientos.
Laboratorio de Lengua: refuerza tu aprendizaje.

Módulo 4 Pág. 90

expresar la opinión

Ámbito Personal 13.

Participas en un foro.

- **Competencia funcional:** expresar la opinión.
- **Competencia léxica:** la comunicación intercultural.
- **Competencia gramatical:** los comparativos y superlativos.
- **Competencia sociolingüística:** los gestos.
- **Competencia fonética y ortográfica:** la separación de palabras (consonantes).

Ámbito Público 14.

Organizas un viaje de una semana en una ciudad hispana.

- **Competencia léxica:** los viajes.
- **Competencia funcional:** expresar acuerdo y desacuerdo.
- **Competencia gramatical:** los verbos irregulares en presente.
- **Competencia sociolingüística:** las interjecciones y frases interjectivas.
- **Competencia fonética y ortográfica:** la unión de palabras en la cadena hablada.

Ámbito Profesional 15.

Escribes una carta de motivación.

- **Competencia funcional:** hablar de la habilidad para hacer algo.
- **Competencia léxica:** las titulaciones y las profesiones.
- **Competencia gramatical:** los pronombres posesivos.
- **Competencia sociolingüística:** la comunicación en la universidad y en la empresa.
- **Competencia fonética y ortográfica:** la unión de vocales en la cadena hablada.

Cultura hispánica

El turismo en España.

- El mapa turístico de España.
- Otros tipos de turismo.
- El mapa turístico de tu país.

Enfoque arte

La escultura contemporánea:
Eduardo Chillida, *Peine del Viento*.

Ámbito Académico 16.

Portfolio: evalúa tus conocimientos.
Laboratorio de Lengua: refuerza tu aprendizaje.

Módulo 5 Pág. 118

describir el entorno

Ámbito Personal 17.

Cuentas acontecimientos de tu vida en tu *blog*.

- **Competencia gramatical:** el imperfecto.
- **Competencia léxica:** la casa.
- **Competencia funcional:** describir las circunstancias que rodean los acontecimientos en pasado.
- **Competencia fonética y ortográfica:** los diptongos y los hiatos.
- **Competencia sociolingüística:** demostrar interés en un relato.

Ámbito Público 18.

Cuentas cómo era tu vida de pequeño y cómo es ahora.

- **Competencia léxica:** las características de la vivienda.
- **Competencia sociolingüística:** los comportamientos relacionados con la vivienda en España.
- **Competencia funcional:** alquilar o comprar un piso.
- **Competencia gramatical:** uso del imperfecto (antes y ahora).
- **Competencia fonética y ortográfica:** los triptongos.

Ámbito Profesional 19.

Preparas una entrevista de trabajo.

- **Competencia funcional:** hablar de acciones y de descripciones.
- **Competencia gramatical:** contraste de los pasados.
- **Competencia fonética y ortográfica:** la *b* y la *v*.
- **Competencia léxica:** los profesionales del cine.
- **Competencia sociolingüística:** las profesiones en femenino.

Cultura hispánica

El cine hispano.

- Actores hispanos.
- Algunas películas hispanas conocidas internacionalmente.
- El Festival de Cine de San Sebastián.

Enfoque arte

La arquitectura contemporánea:
F. O. Gehry, *el Guggenheim*, Bilbao.

Ámbito Académico 20.

Portfolio: evalúa tus conocimientos.
Laboratorio de Lengua: refuerza tu aprendizaje.

Módulo 6 Pág. 146

hablar de la salud

Ámbito Personal 21.

Das recomendaciones para una vida sana.

- **Competencia léxica:** el cuerpo humano.
- **Competencia funcional:** expresar dolor y malestar.
- **Competencia gramatical:** el imperativo regular.
- **Competencia fonética y ortográfica:** el imperativo con pronombres.
- **Competencia sociolingüística:** el concepto de cuidado personal y belleza.

Ámbito Público 22.

Rellenas un formulario de salud.

- **Competencia léxica:** la asistencia sanitaria.
- **Competencia funcional:** expresar posibilidad, permiso, necesidad y obligación.
- **Competencia gramatical:** las perífrasis *hay que* + infinitivo, *tener que* + infinitivo y *poder* + infinitivo y la posición de los pronombres.
- **Competencia fonética y ortográfica:** la equis.
- **Competencia sociolingüística:** refranes sobre la salud.

Ámbito Profesional 23.

Describes el sistema universitario.

- **Competencia léxica:** los estudios universitarios, las pruebas y los exámenes.
- **Competencia funcional:** pedir y conceder o denegar permiso, pedir cosas.
- **Competencia gramatical:** imperativos irregulares y la colocación de los pronombres con imperativo.
- **Competencia fonética y ortográfica:** la acentuación de los imperativos.
- **Competencia sociolingüística:** la valoración social de los médicos.

Cultura hispánica

El sistema sanitario en España.

- Titulares.
- Datos sobre la salud.
- La sanidad pública y privada.

Enfoque arte

La gastronomía: creaciones culinarias:
Ferran Adrià.

Ámbito Académico 24.

Portfolio: evalúa tus conocimientos.
Laboratorio de Lengua: refuerza tu aprendizaje.

Módulo 1

Ámbito Personal

Creas un *blog* personal.

- **Competencia léxica:** los adjetivos de carácter y los estados de ánimo.
- **Competencia funcional:** hablar del carácter y de los estados de ánimo.
- **Competencia gramatical:** uso de *ser* y *estar* con adjetivos.
- **Competencia sociolingüística:** los apelativos cariñosos.
- **Competencia fonética y ortográfica:** repaso de la acentuación de la palabra.

Ámbito Público

Eliges programas de televisión.

- **Competencia funcional:** expresar preferencias.
- **Competencia léxica:** los deportes.
- **Competencia gramatical:** el género de los sustantivos.
- **Competencia sociolingüística:** hacer un cumplido (1).
- **Competencia fonética y ortográfica:** el silabeo.

Ámbito Profesional

Lees y eliges una oferta de trabajo.

- **Competencia léxica:** las características profesionales.
- **Competencia funcional:** expresar la causa y la opinión.
- **Competencia gramatical:** las oraciones causales.
- **Competencia sociolingüística:** las exclamaciones de uso social.
- **Competencia fonética y ortográfica:** la separación en sílabas de grupos de letras.

Cultura hispánica

Don Quijote de la Mancha.

- Los personajes.
- El idealismo y el realismo.
- El personaje universal de tu literatura.

Enfoque arte

La pintura: Antonio López, *La Gran Vía*.

Ámbito Académico

Portfolio: evalúa tus conocimientos.
Laboratorio de Lengua: refuerza tu aprendizaje.

hablar de las personas

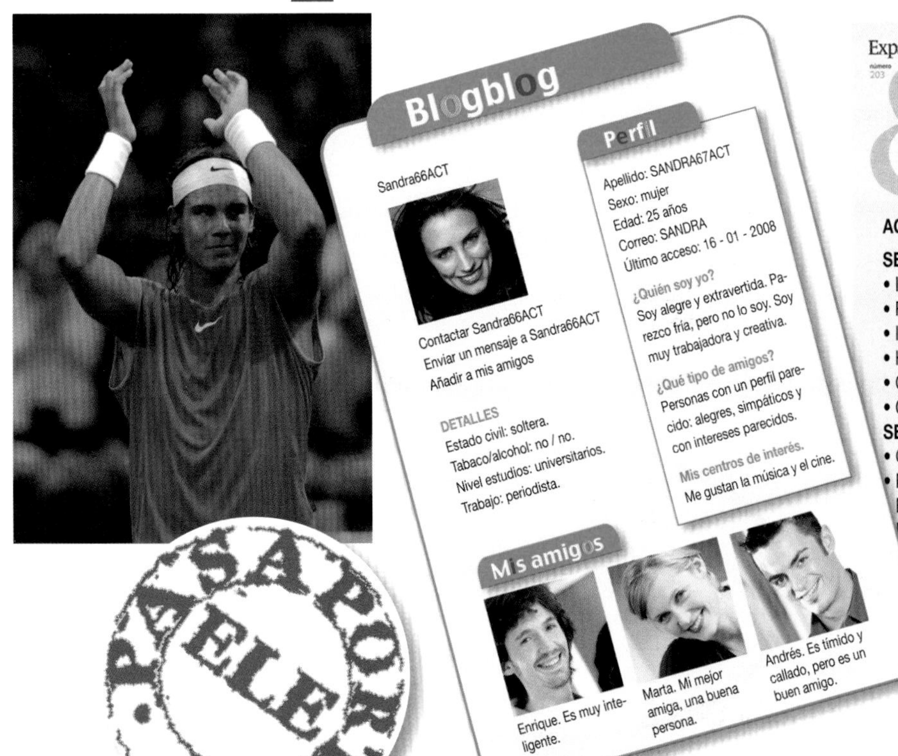

Expansión & EMPLEO

número 203

4º aniversario

SUPLEMENTO SEMANAL SOBRE LAS CARRERAS Y PROFESIONES DEL SIGLO XXI

EMPRENDEDORES Seis caminos que llevan al éxito en los negocios | 8
TRASTIENDA La carrera profesional de los expertos españoles de la gestión | 16
AGENDA Congresos y eventos que no puede perderse en el primer semestre del año | 25
OPINIÓN MÁS ALLÁ DE LA GESTIÓN DE PERSONAS | 2

AGENTE DE VENTAS (agencia de viajes)

SE REQUIERE:
- Inglés avanzado.
- Formación o experiencia administrativa.
- Informática: dominio de Office.
- Habilidad social, capacidad de venta.
- Gran capacidad de organización y de trabajo en equipo.
- Conocimientos de contabilidad.

SE OFRECE:
- Contrato indefinido.
- Posibilidades de promoción.
- Buen ambiente de trabajo.
- Formación continua.

Ámbito Personal

Acción **Creas un blog personal.**

Vamos a aprender a:
hablar del carácter de las personas.

Lee los textos de estas fichas. Subraya las palabras que describen el carácter. Con ayuda de tus compañeros y de tu profesor, explica el significado de esas palabras.

Significado: La lanza de los dioses. De origen germano.

Características: Es conservador, sociable y amable. Le gusta dominar las situaciones y es de carácter fuerte. Es muy querido por sus amistades.

Amor: Cuando quiere de verdad, es fiel y comprensivo.

Significado: Proviene de Santa María de Begoña, santuario de Bilbao. De origen vasco.

Características: Es comprensiva, inquieta y de buen corazón. Sigue siempre sus ideales hasta alcanzarlos.

Amor: En el amor no da el primer paso.

Matilde

Significado: Mujer con poder en el combate. De origen germano.

Características: Es generosa, leal, práctica y le gusta la vida tranquila. Tiene un gran respeto por los demás y por ella misma.

Amor: Es comprensiva y atenta con su pareja.

1 Competencia léxica: los adjetivos de carácter y los estados de ánimo.

Hoy me siento bien.

a. Relaciona cada palabra con su opuesto. Después elige una pareja de adjetivos y explica cómo te sientes, igual que en el ejemplo.

1. Triste	**a.** Pacífico
2. Agresivo	**b.** Pesimista
3. Optimista	**c.** Contento
4. De buen humor	**d.** Insatisfecho
5. Deprimido	**e.** Alegre
6. Satisfecho	**f.** De mal humor
7. Dinámico	**g.** Pasivo

Cuando estoy deprimido, me siento triste, no hablo mucho, no tengo ganas de salir. Pero cuando estoy contento, como mucho y salgo con mis amigos.

Retratos.

b. Lee los siguientes retratos y di qué tienen en común estas tres personas.

Violeta:
«Soy muy extravertida y dinámica, pero también muy sensible. Parezco alegre, pero, a veces, estoy muy deprimida. Tengo buen carácter, soy sociable y cariñosa, pero hay gente que dice que parezco fría. Me gusta la aventura y tener un poco de estrés. Mi mejor cualidad es que soy muy creativa. ¡Ah! Y tengo sentido del humor».

Lucas:
«Parezco muy serio y, a veces, lo soy, pero tengo mucho sentido del humor. Soy muy tranquilo, trabajador, sociable, muy responsable, y también muy creativo. En general, me gusta la seguridad. Normalmente tengo buen carácter, pero la gente dice que parezco un poco frío. Quizá lo soy cuando estoy estresado. Soy un poco tímido a veces».

Beatriz:
«Parezco muy seria y fría, pero en realidad tengo mucho sentido del humor. Ya no soy tan tímida como antes. Soy tranquila, pero estoy nerviosa si tengo estrés, no me gusta nada. Soy muy sociable, cariñosa y me gusta estar con la gente. A veces soy vaga. Me gustan los cambios».

Los tres son .... y tienen ....
Violeta y Beatriz parecen ...., pero son ....
Beatriz y Lucas parecen .... y son ....
Violeta y Lucas tienen .... y son ....

¿Conoces el significado de tu nombre?

c. Ahora, elabora tu propia ficha como las de Óscar, Begoña y Matilde, y escribe tu retrato como Violeta, Beatriz y Lucas.

2

Competencia funcional: hablar del carácter y de los estados de ánimo.

Tiene mucho sentido del humor.

a. Busca y subraya en los retratos las expresiones que se utilizan para describir el carácter y escríbelas con el verbo que las acompaña.

Ser	Tener	Estar
Extravertida		

¿Cómo son estas personas?

b. Imagina cómo son estas personas. Puedes utilizar las expresiones del ejercicio 2.a.

Esta señora está estresada o es muy seria.

a.

b.

c.

d.

e.

Ser y parecer.

c. Muchas veces las personas parecen de una manera y en realidad son de otra. Habla de un amigo, de un familiar o de un compañero de clase.

Se llama Mateo, parece frío y triste, pero es cariñoso y alegre. Tiene buen carácter.

3 Competencia gramatical: uso de ser y estar con adjetivos.

¿Eres o estás?

a. ¿Qué verbo usas para completar estas frases, *ser* o *estar*?

1. Luis .... muy espontáneo.
2. • ¿Qué tal .... María?
   • .... muy frustrada, acaba de suspender el examen.
3. Me gusta Ana, ... sincera.
4. .... muy contento, me van a subir el sueldo.
5. No me gusta nada lo que estás haciendo, ... decepcionada.
6. César habla mucho, ... muy extravertido.

Relaciona el significado con cada verbo.

Hablamos del estado de ánimo de una persona.

Queremos describir el carácter de una persona, sus características esenciales.

SER

ESTAR

¡Estoy muy contenta!

b. Juan y Marcela acaban de divorciarse. Escucha las siguientes reacciones y di cómo está cada persona. Relaciona.

1. Ana, la mejor amiga de Marcela,
2. Enrique, el ex novio de Marcela,
3. Los padres de Juan
4. Fátima, que está enamorada de Juan,

a. está muy satisfecha.
b. está muy triste.
c. está muy contento.
d. están muy deprimidos.

Juan y Marcela.

c. Escucha de nuevo las intervenciones: ¿qué dice cada persona de Juan y de Marcela?

Ana, la mejor amiga de Marcela

Enrique, el ex novio de Marcela

Fátima, que está enamorada de Juan

Los padres de Juan

4 Competencia sociolingüística: los apelativos cariñosos.

Mi amor.

a. Observa estas palabras y lee el texto.

Cuando existe una relación de cariño y confianza con alguien, en español utilizamos algunas palabras como las siguientes para dirigirnos a la persona o llamar su atención en determinadas situaciones informales.

Tesoro

Cielo

Rey/Reina

Mi amor

Cariño

Guapo/a

Mi vida

Corazón

Ahora escucha estos diálogos y relaciónalos con los interlocutores y las situaciones.

Diálogo	¿Quién se dirige a quién?
1.	a. Un frutero a su clienta en el mercado.
2.	b. Un padre a su bebé en casa.
3.	c. Dos amigas.
4.	d. Una madre a su hijo en casa.
5.	e. Un matrimonio en casa.
6.	f. Una amiga a un amigo por la calle.

¿Qué tal, guapa?

b. Infórmate y contesta a las preguntas.

Las relaciones entre las personas del ejercicio anterior son familiares o de confianza casi siempre, pero no en todos los casos. Por ejemplo, los dependientes en los mercados o los camareros hablan así a sus clientas. Ahora bien, estas expresiones no se usan nunca en situaciones formales.

5 Competencia fonética y ortográfica: repaso de la acentuación de la palabra.

El acento.

a. Escucha estas palabras y colócalas en la columna correspondiente.

última	penúltima	antepenúltima
_ _ _́	_ _́ _	_́ _ _

La tilde.

b. Lee las reglas para escribir la tilde, revisa las palabras anteriores y escribe el acento donde sea necesario. Después lee las palabras en voz alta.

La tilde

1. Todas las palabras terminadas en vocal, **-n** o **-s** tienen la sílaba fuerte en la penúltima. Si no es así, llevan escrito un acento (tilde).
2. Todas las palabras terminadas en consonante, excepto **-n** o **-s**, llevan el acento en la última sílaba, excepto si tienen un acento escrito (tilde).
3. Cuando las palabras tienen el acento tónico en la antepenúltima sílaba, siempre se escribe la tilde.

Creas un blog personal.

¿Tienes un *blog*?
Si vas a entrar en contacto con hispanos, una buena manera de presentarte es hacer un *blog*.
Para crear tu propio *blog* en español puedes empezar con una autodescripción. Aquí tienes el formulario de creación del *blog*.

1 crear una cuenta

Blogblog

E-mail
Contraseña
Nombre
Apellidos
Fecha de nacimiento
Sexo
Ciudad
Provincia
Código postal
País

Blog de Sandra

Blogblog

Sandra66ACT

Contactar Sandra66ACT
Enviar un mensaje a Sandra66ACT
Añadir a mis amigos

DETALLES
Estado civil: soltera.
Tabaco/alcohol: no / no.
Nivel estudios: universitarios.
Trabajo: periodista.

Perfil

Apellido: SANDRA67ACT
Sexo: mujer
Edad: 25 años
Correo: SANDRA
Último acceso: 16 - 01 - 2008

¿Quién soy yo?
Soy alegre y extravertida. Parezco fría, pero no lo soy. Soy muy trabajadora y creativa.

¿Qué tipo de amigos?
Personas con un perfil parecido: alegres, simpáticos y con intereses parecidos.

Mis centros de interés.
Me gustan la música y el cine.

Mis amigos

Enrique. Es muy inteligente.

Marta. Mi mejor amiga, una buena persona.

Andrés. Es tímido y callado, pero es un buen amigo.

Blogblog

Contactar
Enviar un mensaje a
Añadir a mis amigos

DETALLES
Estado civil:
Tabaco/alcohol:
Nivel estudios:
Trabajo:

Perfil

Apellido:
Sexo:
Edad:
Correo:
Último acceso:

¿Quién soy yo?

¿Qué tipo de amigos?

Mis centros de interés.

Mis amigos

Ámbito Público

Acción **Eliges programas de televisión.**

Vamos a aprender a:
expresar preferencias.

Lee los resultados de esta encuesta sobre los españoles y la televisión.

¿Qué programas ves en la televisión?

	%
Cine	32,2
Teleseries, telecomedias, culebrones	21,1
Programas educativos, culturales	5,3
Informativos, de noticias, de actualidad	6,3
Deportes	14,7
Entretenimiento, concursos, magacines	4,6
Musicales	4,4
Dibujos infantiles, juveniles	1,2
Todo	6,1
Nada	0,5
No veo la televisión	1,7
N.S. / N.C.	1,9
TOTAL	100

Fuente: Centro de Investigaciones Sociológicas

Completa el crucigrama con las palabras de la encuesta.

1. Serial de televisión: *Friends, Mujeres desesperadas, Hospital Central...*
2. Programa de noticias.
3. Competición, prueba para conseguir un premio.
4. Programa infantil: *Shin Chan, Looney Tunes,* etc.
5. Comedia televisiva.
6. Telenovela muy larga y melodramática.

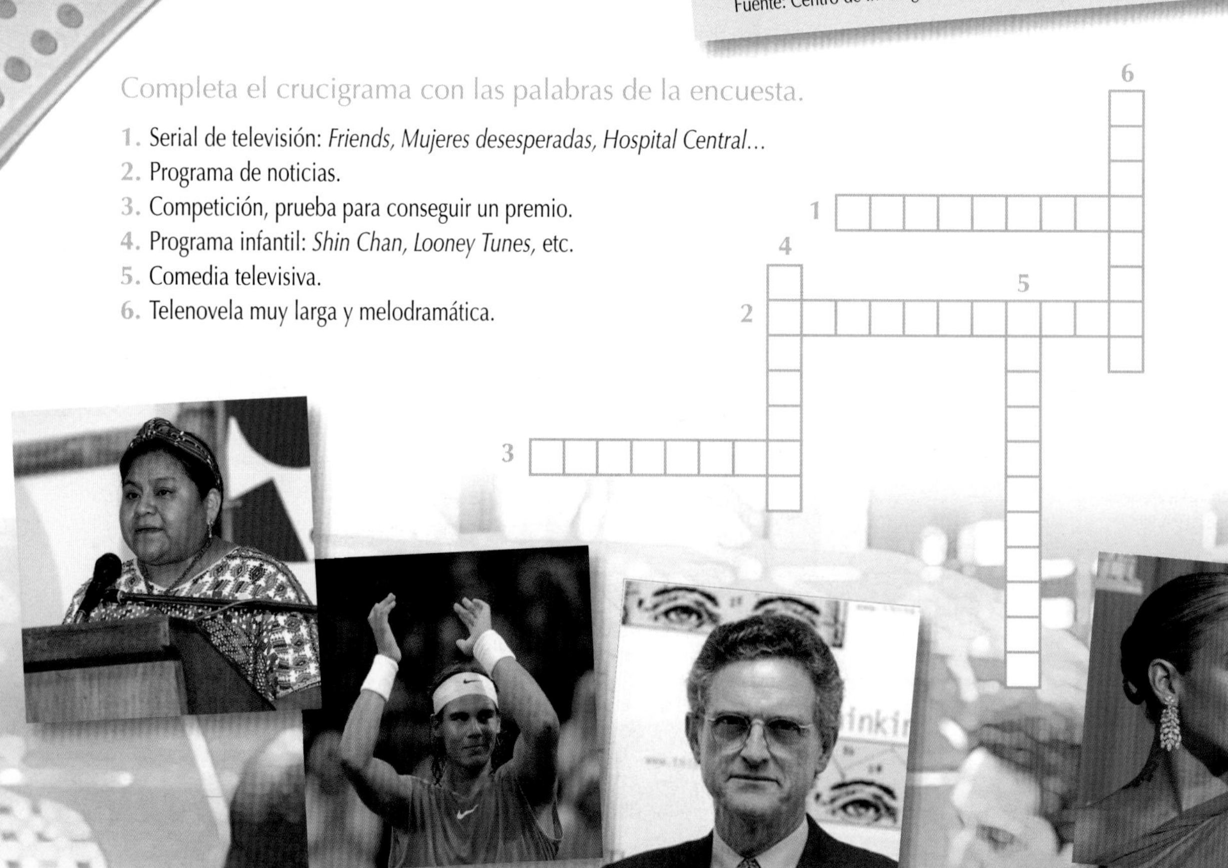

1 Competencia funcional: expresar preferencias.

Los jóvenes y la televisión.

a. Escucha esta entrevista de televisión que el presentador hace a tres jóvenes. Lee las preguntas y escribe en qué orden aparecen.

- ☐ Y a ti, Zara, ¿qué te interesa?
- ☐ ¿Y qué tipo de programa prefieres?
- ☐ A ver, Noelia, ¿qué programa te gusta más?
- ☐ ¿Y qué te interesan más, los documentales sobre temas de actualidad o sobre cuestiones históricas?
- ☐ Noelia, y en fin de semana, ¿qué programa prefieres?

¿Documentales o deportes?

b. Escucha otra vez y escribe junto a cada dibujo las preferencias de cada uno.

Mis preferencias.

c. Observa:

Preguntar por preferencias

¿Qué te interesa / gusta más, el fútbol o el tenis?
¿Qué tipo de deporte prefieres?
¿Cuál es tu deporte favorito / preferido?

Expresar preferencias

Me interesa / gusta más la Filosofía que la Historia.
Prefiero la Filosofía.
Mi asignatura favorita / preferida es...

¿Cuál es tu película favorita?

d. Haz una lista de tus preferencias. Después habla con tu compañero. Cada uno explica el porqué de su preferencia. Después, escribe un texto descriptivo sobre las preferencias de tu compañero.

EL TEST 10

1. Tu bebida preferida.
2. Tu comida favorita.
3. Tu película preferida.
4. Tu perfume favorito.
5. Tu estación del año preferida.
6. Tu deporte favorito.
7. Tu ....
8. Tu ....
9. Tu ....
10. Tu ....

2 Competencia léxica: los deportes.

Las caras del deporte español.

a. Lee los deportes de la lista. Elige el que corresponde a cada una de las 5 fotografías. ¿Conoces a estos deportistas?

Baloncesto
Fútbol
Golf
Tenis
Motociclismo
Balonmano
Fórmula 1
Atletismo
Natación
Montañismo

¿Tenis o fútbol?

b. En estos dibujos vas a encontrar los elementos necesarios para practicar algunos deportes. Escribe de qué deporte se trata en el centro y qué se necesita para practicarlo.

3 Competencia gramatical: el género de los sustantivos.

¿El futbolista o la futbolista?

a. Clasifica estos sustantivos en el cuadro con el artículo adecuado:

doctor, sistema, futbolista, libro, amiga, pintor, artista, problema, actor, perro, periodista, estrella, vecino, entrenador, casa, tema

el ....–o	la ....–a	el ....–or	el ....–ema	el/la ....–ista

Completa las reglas correspondientes a cada columna.

Los sustantivos

Los sustantivos terminados en **–o** son generalmente ....
Los sustantivos terminados en **–a** son generalmente ....
Los sustantivos que terminan en **–ema** son ....
Los sustantivos que terminan en **–or** son generalmente ....
Los sustantivos que terminan en **–ista** pueden ser ....

¿Problema?

b. Cambia el género de estas palabras.

1. La amiga ....
2. El lector ....
3. El perro ....
4. El doctor ....
5. La chica ....
6. La entrenadora ....
7. El vecino ....
8. La gata ....
9. La periodista ....

El género

Masculino **–o** cambia a femenino **–a**.

Algunas palabras tienen el masculino en **–or** y el femenino en **–ora.**

Especiales

actor	act**riz**
emperador	empera**triz**

¡Ojo!
la mano
la radio
la foto

4 Competencia sociolingüística: hacer un cumplido (1).

¡Qué guapo estás!

a. Lee las frases. ¿A qué situaciones crees que corresponden?

Ahora escucha los diálogos y comprueba.

Una costumbre social.

En España es muy frecuente hacer cumplidos. Es un acto social para ser amables.

b. Completa cada situación con el cumplido adecuado.

- Muchas gracias por el regalo, corazón.
- Siéntate, como en tu casa.
- Dime, bonita.
- Es precioso, me encanta.
- ¡Qué bonita! ¡Qué buen gusto tienes!

¿Y en tu país?

c. ¿Cómo es en tu país? ¿Es normal decir esas cosas? Actúa como un español. Haz cumplidos a tus compañeros.

Para hacer cumplidos

¡*Qué* + adjetivos / sustantivos / frases!

¡Qué guapo! / ¡Qué libro más bonito!
¡Qué ojos más bonitos tienes!
¡Qué bien hablas español!
¡Qué simpático eres!

5 Competencia fonética y ortográfica: el silabeo.

Las sílabas.

a. Separa estas palabras en sílabas.

1. pomelo	4. zapato	7. casa
2. sopa	5. bote	8. vaso
3. foto	6. vocabulario	9. pelo

- Léelas en voz alta marcando la separación en sílabas.

Sílaba abierta

La sílaba más frecuente en español está formada por una consonante y una vocal.

Ahora tú.

b. Escucha estas palabras: están separadas en sílabas. Escríbelas marcando la separación:

1.	4.	7.	10. ....
2.	5.	8.	11. ....
3.	6.	9.	12. ....

- Escúchalas otra vez y repítelas.

Separación de vocales

Si hay dos vocales, se separan, excepto si una de las vocales es **i** o **u** sin acento (ni escrito ni pronunciado).

La separación en sílabas te ayuda a pronunciar y te sirve para separar las palabras cuando, al escribir, llegas al final de una línea.

Eliges programas de televisión.

Si vas a un país hispano o ves un canal de televisión en español, tienes que saber qué programas te proponen.
Tenemos aquí la programación de 6 cadenas de televisión en España. Observa los programas y selecciona los que te gustan: deporte, informativos, debates, programas del corazón...
¿Qué programas no te gustan y por qué?

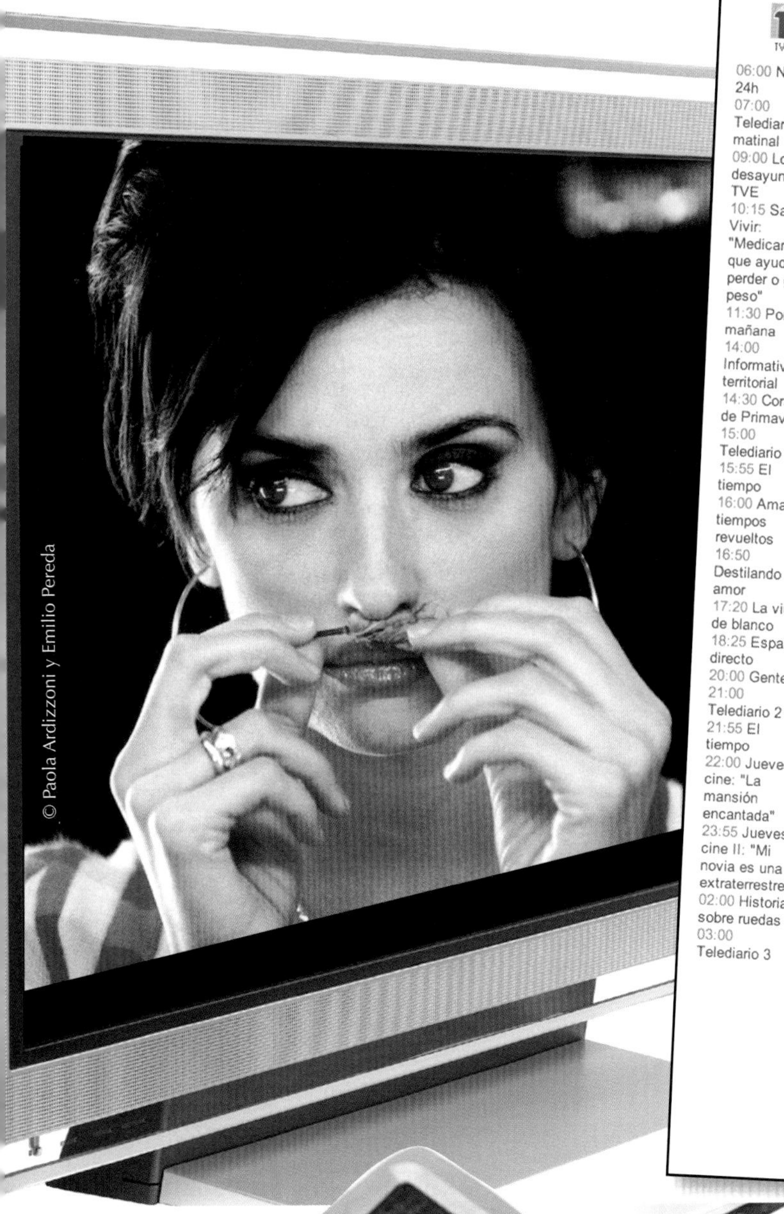
© Paola Ardizzoni y Emilio Pereda

TVE 1

06:00 Noticias 24h
07:00 Telediario matinal
09:00 Los desayunos de TVE
10:15 Saber Vivir: "Medicamentos que ayudan a perder o ganar peso"
11:30 Por la mañana
14:00 Informativo territorial
14:30 Corazón de Primavera
15:00 Telediario 1
15:55 El tiempo
16:00 Amar en tiempos revueltos
16:50 Destilando amor
17:20 La viuda de blanco
18:25 España directo
20:00 Gente
21:00 Telediario 2
21:55 El tiempo
22:00 Jueves cine: "La mansión encantada"
23:55 Jueves cine II: "Mi novia es una extraterrestre"
02:00 Historias sobre ruedas
03:00 Telediario 3

LA 2

07:00 Los Lunnis
09:30 Aquí hay trabajo
10:00 TV Educativa: la aventura del saber
11:00 Ciudades para el siglo XXI: "Logroño, ciudad en el aire"
11:30 La película de la mañana: "El cantor de México"
13:25 Lola y Virginia: "Super rayo", "Cenicienta S. XXI" y "Compradora compulsiva"
13:55 Zatchbell: "Dr. Riddles, usted siempre será mi rey"
14:25 Las tortugas Ninja: "El grybyx"
15:15 Saber y ganar
16:00 Tenis. Torneo Roland Garros
17:50 Leonart: "Poblaciones humanes"
18:25 Blue water high
19:25 Lois y Clark: "Fenix"
20:30 La 2 Noticias
20:55 El tiempo
21:00 Baloncesto. Liga ACB 2006-2007: "DK Joventut-Real Madrid"
22:50 Caso abierto: "La venganza" (R)
00:00 La 2 Noticias Express
00:05 Días de cine

ANTENA 3

06:00 Las noticias de la mañana
08:00 Shin Chan
09:00 Espejo público
11:15 Los más buscados
12:30 La Ruleta de la Suerte
14:00 Los Simpson: "Homer ama a Flanders" y "A Bart le regalan un elefante"
15:00 Antena 3 Noticias 1
15:55 El Tiempo
16:00 Zorro
17:30 En antena
19:15 El diario de Patricia
20:15 ¿Quién quiere ser millonario?
21:00 Antena 3 Noticias 2
22:00 El internado: "Ojos que no ven"
23:30 Sin rastro: "La estrella solitaria"
00:30 Buenafuente
02:15 Antena 3 noticias 3
02:30 Buenas noches y buena suerte
05:30 Únicos

CUATRO

07:05 Recuatro
07:10 Oveja en la ciudad
07:25 Menudo Cuatro
09:20 Contamos contigo
10:15 Alerta Cobra: "Ovejas negras"
11:15 Las mañanas de cuatro
14:00 Noticias Cuatro
14:55 Scrubs
16:00 Friends
17:05 Channel nº4
18:55 Alta tensión
19:55 Money, money
21:00 Noticias Cuatro
22:15 Anatomía de Grey: "Una y otra vez", "Un hombre de juego" y "Blues para una desconocida"
01:05 Noche Hache
02:20 Cuatrosfera
03:45 Llámame
05:45 Shopping

TELE 5

06:15 Fusión Sonora
06:30 Informativo Telecinco Matinal
09:05 La mirada crítica
10:45 El programa de Ana Rosa
14:30 Informativos Telecinco
15:30 Aquí hay tomate
17:00 Yo soy Bea
17:45 Supervivientes: Perdidos en Honduras
18:15 A tu lado
20:15 ¡Allá tú!
20:55 Informativos Telecinco
21:20 Cámera café
22:00 Supervivientes
01:00 TNT
02:15 Telecinco, ¿dígame?
03:15 Infocomerciales

LA SEXTA

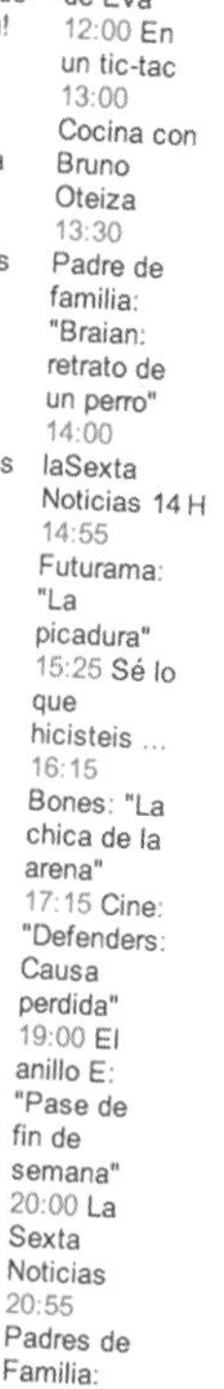

06:00 No sabe no contesta
06:35 Hoy cocinas tú
07:00 Sé lo que hicisteis ...(R)
07:40 El Intermedio (R)
08:10 Teletienda
09:10 Despierta y gana
09:50 Crímenes imperfectos
11:30 Las tentaciones de Eva
12:00 En un tic-tac
13:00 Cocina con Bruno Oteiza
13:30 Padre de familia: "Braian: retrato de un perro"
14:00 laSexta Noticias 14 H
14:55 Futurama: "La picadura"
15:25 Sé lo que hicisteis ...
16:15 Bones: "La chica de la arena"
17:15 Cine: "Defenders: Causa perdida"
19:00 El anillo E: "Pase de fin de semana"
20:00 La Sexta Noticias
20:55 Padres de Familia:

Ámbito Profesional

Acción Lees y eliges una oferta de trabajo.

Vamos a aprender a:
proponer personas para realizar ciertos trabajos.

Lee esta oferta de trabajo y responde a la pregunta:

Expansión EMPLEO &
número 203
4º aniversario
SUPLEMENTO SEMANAL SOBRE LAS CARRERAS Y PROFESIONES DEL SIGLO XXI
EMPRENDEDORES Seis caminos que llevan al éxito en los negocios | 8
TRASTIENDA La carrera profesional de los expertos españoles de la gestión | 16
AGENDA Congresos y eventos que no puede perderse en el primer semestre del año | 25
OPINIÓN MÁS ALLÁ DE LA GESTIÓN DE PERSONAS | 2

AGENTE DE VENTAS (agencia de viajes)

SE REQUIERE:

- Inglés avanzado.
- Formación o experiencia administrativa.
- Informática: dominio de Office.
- Habilidad social, capacidad de venta.
- Gran capacidad de organización y de trabajo en equipo.
- Conocimientos de contabilidad.

SE OFRECE:

- Contrato indefinido.
- Posibilidades de promoción.
- Buen ambiente de trabajo.
- Formación continua.

Esta oferta tiene dos partes. ¿Qué hay en cada parte?

1. .... 2. ....

Relaciona:

1. Formación	a. contrato sin límite temporal
2. Contabilidad	b. posibilidad de mejorar en el trabajo
3. Contrato indefinido	c. colaboración con otras personas
4. Promoción	d. estudios
5. Trabajo en equipo	e. registrar gastos e ingresos

1 Competencia léxica: las características profesionales.

Háblame de tu experiencia.

a. Lee estas descripciones y agrupa las características en los 3 campos siguientes:

Ana Pérez Gómez

- Licenciada en Geografía e Historia en España.
- Inglés y español.
- Experiencia como profesora de español.
- Sin experiencia en trabajos administrativos.
- Carácter abierto, capacidad para relacionarse con los demás, con experiencia de trabajo en equipo.

Eva Brückmann

- Diplomada en Turismo en Alemania.
- Alemán, inglés y español.
- Sin experiencia en el sector educativo.
- Experiencia en trabajos administrativos en un hotel.
- Seria y responsable, ordenada y eficaz.

Formación	Experiencia	Características personales

¿Quién es más adecuada?

b. Subraya las características personales y profesionales más adecuadas para la oferta de trabajo del principio del ámbito. ¿Cuál de las dos candidatas es más adecuada para el puesto?

2 Competencia funcional: expresar la causa y la opinión.

En mi opinión...

a. Dos personas están haciendo la selección para el puesto de trabajo de secretario/a. Escúchalo y ordénalo.

- ☐ *Bueno, pero eso lo puede controlar también la jefa de administración. **En mi opinión**, necesitamos una persona con capacidad de venta, **porque** lo más importante es conseguir clientes para nuestros viajes.*
- ☐ *Claro, y **como no es fácil**, tenemos que entrevistar a muchas personas. **Yo creo que lo mejor es** contratar una empresa especializada en selección de personal. **¿Qué te parece?***
- ☐ *Sí, vender es muy importante, pero no lo más importante. La persona que buscamos debe tener las dos cosas: capacidad de hacer el trabajo de administración y saber vender. Pero no es fácil encontrar a una persona con las dos capacidades.*
- ☐ ***Es que** eso es carísimo...*
- ☐ ***A mí me parece** que en ese puesto es muy importante la experiencia administrativa para evitar el caos y los problemas **por** falta de experiencia. Tiene que controlar las facturas, el dinero...*

Y en la mía...

b. Clasifica las expresiones en verde en la siguiente tabla.

Expresar opinión	Expresar causa

Un buen recepcionista.

c. ¿Qué es importante en el trabajo que hacen los recepcionistas? Relaciona las tareas con las características:

1. Saber tratar a los clientes.
2. Atender rápidamente.
3. Saber inglés.
4. Saber conservar la calma.

a. Ser rápido/a.
b. Ser tranquilo/a.
c. Ser simpático/a.
d. Hablar idiomas.

A mí me parece que es muy eficaz.

d. Ahora discute con tu compañero cuál de estas personas es más adecuada para trabajar de recepcionista en un hotel.

A mí me parece que es muy importante tener experiencia, porque...
Pues en mi opinión...

Miguel Ángel
Muy rápido, eficaz, habla sueco y portugués, muy joven, tímido, con experiencia.

Teresa
Muy simpática, habla inglés y francés, un poco lenta pero eficaz, con poca experiencia.

Eduardo
Muchísima experiencia, rápido, eficaz, un poco seco, nivel básico de inglés, tranquilo.

3 Competencia gramatical: las oraciones causales.

¿Por qué no vienes?

a. Lee estas frases del diálogo del punto 2.a y la correspondiente regla.

Las oraciones causales

«porque lo más importante es conseguir clientes».	PORQUE	Se usa cuando la causa se dice en segunda posición: *No voy a ir a la fiesta porque no tengo tiempo.*
« • Pero no es fácil encontrar a una persona así. • Claro, y como no es fácil, tenemos que entrevistar a muchas personas».	COMO	Presenta la situación previa. Se usa cuando la causa se dice en primera posición: *Como no tengo tiempo, no voy a ir a la fiesta.*
«Es que eso es carísimo...».	ES QUE...	Se usa cuando queremos justificarnos o ser amables con la otra persona: *Perdón, no puedo ir a tu fiesta, es que no tengo tiempo.*
«evitar el caos y los problemas por falta de experiencia...».	POR	Se usa con sustantivos. Normalmente expresa una causa negativa: *No voy a ir a la fiesta por tu culpa.*

Porque no tengo tiempo.

b. Lee estas frases y únelas usando *porque* y *como*.

como

Ejemplo: Me voy. Tengo una cita.
Me voy porque tengo una cita.
Como tengo una cita, me voy.

1. Están instalando parquímetros en Madrid.	Hay muchos coches mal aparcados en las calles.
2. Van a cerrar ese centro cultural.	Muy poca gente participa en las actividades.
3. El niño está resfriado.	La calefacción del colegio no funciona bien.
4. No puedo ir a clase hoy.	Estoy enferma.
5. Hay mucha contaminación en México D.F.	Hay mucho tráfico y poco transporte público.
6. Estamos muy enamorados.	Nos vamos a casar.
7. La empresa va muy bien.	Vamos a repartir beneficios.
8. Le ponen buenas notas en los exámenes.	Es muy estudioso.
9. Alicia va a hacer la presentación.	Carmen está enferma.

Es que, por falta de tiempo, no puedo ir.

8

c. Escucha las frases y elige la causa.

- ☐ Es que hay mucho tráfico.
- ☐ Es que su oferta es muy cara.
- ☐ Es que tengo otro compromiso.
- ☐ Por impuntual.
- ☐ Por falta de experiencia.
- ☐ Por enfermedad del Director General.

¿Cuál es la razón?

d. Lee las preguntas que formulan estas personas.
Escribe respuestas a sus preguntas.

¿Por qué cada verano aumenta la temperatura?

¿Por qué Suiza no está en la Unión Europea?

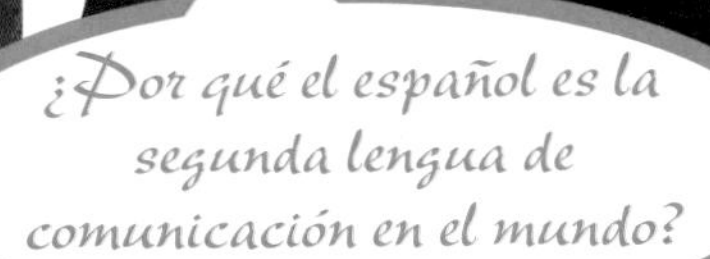

Por qué y porque

Por qué, en dos palabras y con tilde, se utiliza para formular preguntas.
Porque, en una palabra, se utiliza para explicar una causa.
¿Por qué vas al cine? Porque me gusta.

4 Competencia sociolingüística: las exclamaciones de uso social.

¡Jesús!

a. Observa las imágenes, escucha las conversaciones y di a qué diálogos corresponden.

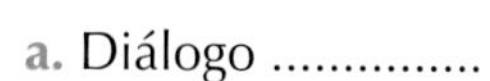

a. Diálogo .... b. Diálogo .... c. Diálogo .... d. Diálogo ....

e. Diálogo .... f. Diálogo .... g. Diálogo ....

Escucha de nuevo y escribe la fórmula que corresponde a cada uno.

SITUACIÓN	¿QUÉ SE DICE?
◯ Expresar compasión	*Lo siento muchísimo, de verdad.*
◯ Antes de empezar a comer	
◯ Cuando alguien estornuda	
◯ Cuando alguien está enfermo	
◯ Pedir disculpas	
◯ En un funeral	
◯ Cuando alguien te visita en tu casa	

¿Y en tu idioma?

b. ¿Se dicen cosas similares en tu idioma? Traduce estas frases a tu idioma y explica las diferencias o similitudes.

5 Competencia fonética y ortográfica: la separación en sílabas de grupos de letras.

Ar-tis-ta.

a. Escucha y separa las palabras en sílabas.

1. artista
2. cierto
3. concierto
4. mucho
5. perfecto
6. carrete
7. talla
8. pasta
9. asco
10. carta
11. parra
12. carretilla

– Léelas en voz alta, haciendo la separación.

Separación de consonantes

Si hay dos consonantes juntas, cada una va en una sílaba diferente, excepto **ch, ll y rr,** porque son un solo sonido en español.

Lees y eliges una oferta de trabajo.

Seguramente en el futuro vas a tener que buscar trabajo en algún país hispanohablante.
Lee estos textos y elige el que más se adapta a ti. Explica por qué.
En clase, seguro que hay varios candidatos para cada puesto. Ahora, en pareja discute qué persona sería más adecuada para cada puesto y justifica por qué.

Expansión & EMPLEO

número 203

4º aniversario

SUPLEMENTO SEMANAL SOBRE LAS CARRERAS Y PROFESIONES DEL SIGLO XXI

EMPRENDEDORES Seis caminos que llevan al éxito en los negocios | 8
TRASTIENDA La carrera profesional de los expertos españoles de la gestión | 16
AGENDA Congresos y eventos que no puede perderse en el primer semestre del año | 25
OPINIÓN MÁS ALLÁ DE LA GESTIÓN DE PERSONAS | 2

Empresa líder en la exportación textil internacional busca un/a

Comercial internacional

SE REQUIERE:

- Experiencia: al menos tres años en puesto similar.
- Nivel muy alto de inglés. Buen nivel de francés.
- Disponibilidad para viajar.
- Capacidad de negociación.
- Persona decidida, disciplinada y autónoma.

SE OFRECE:

- Contrato de duración indefinida.
- Jornada completa.
- Sueldo fijo + comisiones.
- Ofrecemos integración en una empresa sólida y consolidada a nivel internacional.

Secretaria de dirección comercial

SE REQUIERE

- Formación en administración, *marketing* y comunicación.
- Formación profesional Grado medio.
- Experiencia: al menos un año en puesto similar.
- Buscamos una persona entusiasta con experiencia en temas administrativos.
- Habilidades comunicativas.

SE OFRECE:

- Contrato indefinido.
- Jornada completa.
- Buen ambiente laboral.

Administrativo/a

recepcionista para un hotel en la Costa de la Luz.

SE REQUIERE

- Nivel mínimo de estudios: Formación profesional de Grado superior.
- No es necesaria experiencia.
- Nivel medio-alto de inglés.
- Nivel alto de informática.
- Buena educación, maneras y presencia.
- Persona joven y activa.

SE OFRECE:

- Contrato indefinido.
- Jornada completa.

Cultura hispánica

Picasso

«En un lugar de la Mancha, de cuyo nombre no quiero acordarme...»

1 LOS PERSONAJES.

a. **¿Conoces la frase que acompaña al dibujo? ¿Sabes quiénes son estos personajes?**

b. **Lee este texto y explica cada uno de los puntos de este mapa mental, ¿qué o quiénes son?**

Alonso Quijano es un noble pobre, de unos 50 años, flaco y gran aficionado a la caza. Le encanta leer novelas de caballería. Lee muchas, se vuelve loco y se quiere convertir en caballero. El personaje sale al mundo como «caballero» para defender el bien y elige el nombre de Don Quijote de la Mancha. Se imagina una dama para dedicarle sus aventuras: Dulcinea del Toboso, que en realidad es Aldonza Lorenzo, una chica de su pueblo. También elige un ayudante: Sancho Panza, un campesino que le acompaña montado en su burro. Don Quijote viaja en su viejo caballo, Rocinante. Al final de la novela y después de muchas aventuras, Don Quijote recupera la razón y muere.

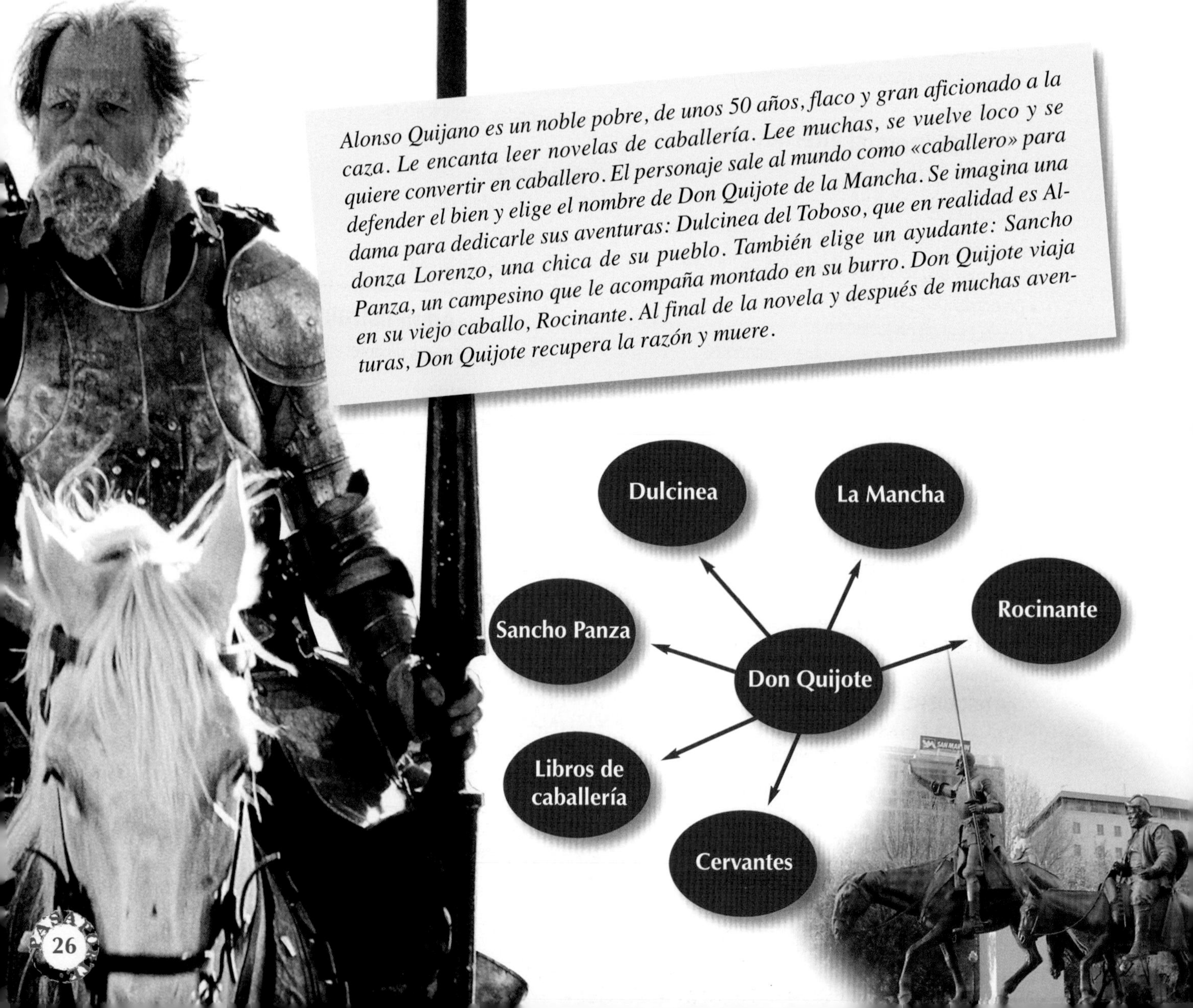

Don Quijote de la Mancha

2 EL IDEALISMO Y EL REALISMO.

a. Muchas veces se interpreta el *Quijote* como una contraposición entre los caracteres de Don Quijote y Sancho: actitudes diferentes frente a la vida. Lee el texto.

Don Quijote representa al idealista; él busca el bien y la justicia, actúa como sus héroes favoritos. Muchas veces fracasa, pero continúa con ilusión. Por otra parte, Sancho Panza representa al personaje realista. Es un campesino que se preocupa por el lado práctico de las cosas. Su personalidad es muy rica: es listo, irónico y egoísta, y también confiado, bueno y fiel.
Don Quijote y Sancho Panza forman un ser humano poético. Sancho representa los valores materiales, mientras que Don Quijote representa el ideal. Las personas son así, materialistas e idealistas a la vez.

b. Lee estos fragmentos que describen a Don Quijote y a Sancho y marca a qué personaje corresponden:

	DQ	S
1. Es un noble que lee libros de caballería y se imagina historias de caballeros y princesas.		
2. Tiene unos 50 años cuando sale a buscar aventuras.		
3. Es un campesino que se preocupa por el lado práctico de las cosas.		
4. Actúa como sus héroes favoritos, muchas veces fracasa, pero continúa con ilusión.		
5. Representa al personaje realista.		
6. Añade a su nombre «de la Mancha», imitando a los caballeros.		
7. Su personalidad es muy rica: es listo, irónico y egoísta, y también confiado, bueno y fiel.		

c. Con tu compañero lee este texto adaptado de *Don Quijote de la Mancha*. Se trata de un capítulo muy famoso, llamado «Los molinos de viento». Relaciónalo con los dos caracteres de estos dos personajes.

«- ¿Ves allí, amigo Sancho Panza, treinta, o pocos más gigantes? Pienso pelear con ellos y quitarles a todos la vida.
- ¿Qué gigantes? –dijo Sancho.
- Aquellos que allí ves –respondió Don Quijote–. Algunos tienen los brazos largos, de casi dos leguas.
- Mire, señor, –observó Sancho– que aquellos que allí se ven no son gigantes, sino molinos de viento, y lo que en ellos parecen brazos son las aspas que, movidas por el viento, hacen andar la piedra del molino.
- Bien se ve que no entiendes de aventuras. Ellos son gigantes, y si tienes miedo, puedes irte».

Texto adaptado. *Don Quijote de la Mancha*. «Los molinos de viento».

3 EL PERSONAJE UNIVERSAL DE TU LITERATURA.
¿Cuál es el personaje más famoso de la literatura de tu país o de tu idioma? Escribe un resumen del argumento y cuéntaselo a tus compañeros. Después describe más detalladamente el carácter de los protagonistas y su significado.

ENFOQUE arte

Antonio López

LA GRAN VÍA
1981

La pintura

La Gran Vía es la obra más famosa del pintor español Antonio López García, nacido en Tomelloso (Ciudad Real) en 1936. Es del año 1981 y pertenece a la corriente del Hiperrealismo. El cuadro es una reproducción prácticamente exacta de la Gran Vía madrileña que fácilmente se puede confundir con una fotografía. El Hiperrealismo es un movimiento artístico que nació en los años 60 como respuesta al arte conceptual. Consiste en la representación exacta de la realidad partiendo de la fotografía, como aquí en *La Gran Vía*.
La técnica de Antonio López refleja un enorme talento. En sus pinturas retrata desde personas hasta vistas de la ciudad de Madrid. En 1992 se realizó una película sobre su obra llamada *El sol del membrillo*. Por otra parte, ha realizado las esculturas conmemorativas del atentado del 11 de marzo (11M) en Madrid.

1. Describe el cuadro y lo que representa:
   - En el primer plano se ve...
   - Los edificios pintados son..., parecen...
   - Está pintado en un momento determinado del día: la luz es ....
   - Hay/No hay personas, ...
2. Explica en qué consiste el Hiperrealismo y cómo lo utiliza Antonio López.
3. Compara el cuadro con la foto. ¿Qué diferencias ves?
4. ¿Te gusta el cuadro? ¿Conoces a otros pintores hiperrealistas? ¿Te parece una técnica fácil, interesante?

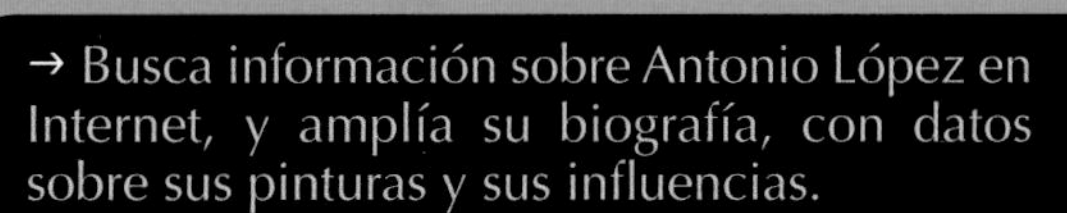

→ Busca información sobre Antonio López en Internet, y amplía su biografía, con datos sobre sus pinturas y sus influencias.

→ Selecciona otras pinturas de Antonio López de Madrid y coméntalas con el resto de la clase.

Ámbito Académico

Portfolio: evalúa tus conocimientos.

Nivel alcanzado

Insuficiente | Suficiente | Bueno | Muy bueno

Después de hacer el módulo 1

Fecha: ....

Comunicación

- Puedo describir mi carácter y el de otras personas.
Escribe las expresiones:

* Si necesitas más ejercicios, ve al punto 1 del Laboratorio de Lengua.

- Puedo hablar sobre mis preferencias.
Escribe las expresiones:

* Si necesitas más ejercicios, ve al punto 2 del Laboratorio de Lengua.

- Puedo expresar la opinión y la causa.
Escribe las expresiones:

* Si necesitas más ejercicios, ve al punto 3 del Laboratorio de Lengua.

Gramática

- Sé utilizar los verbos *ser* y *estar* con adjetivos de carácter y expresiones de los estados de ánimo.
Escribe algunos ejemplos:

* Si necesitas más ejercicios, ve al punto 4 del Laboratorio de Lengua.

- Sé reconocer el género de los sustantivos acabados en **–o, –a, –or/–ora, –ista** y **–ema.**
Escribe algunos ejemplos:

* Si necesitas más ejercicios, ve al punto 5 del Laboratorio de Lengua.

- Sé utilizar expresiones de causa.
Escribe algunos ejemplos:

* Si necesitas más ejercicios, ve al punto 6 del Laboratorio de Lengua.

Vocabulario

- Conozco el vocabulario para hablar de los estados de ánimo.
Escribe las palabras que recuerdas:

* Si necesitas más ejercicios, ve al punto 7 del Laboratorio de Lengua.

- Conozco el vocabulario para hablar de características profesionales.
Escribe las palabras que recuerdas:

* Si necesitas más ejercicios, ve al punto 8 del Laboratorio de Lengua.

- Conozco el vocabulario para hablar de los deportes.
Escribe las palabras que recuerdas:

* Si necesitas más ejercicios, ve al punto 9 del Laboratorio de Lengua.

LABORATORIO DE LENGUA

Comunicación

1. Describir tu carácter y el de otras personas.

a. Lee las siguientes descripciones de los signos del Zodiaco y escribe un texto sobre cada uno de estos signos.

Aries
21 de marzo al 20 de abril

- Parece prudente, pero es aventurero y valiente.
- Listo, dinámico. Tiene seguridad en sí mismo.
- Mal carácter cuando está nervioso.

Piscis
20 de febrero al 20 de marzo

- Imaginativo, sensible y amable.
- Compasión hacia los demás e intuitivo.
- No asume la realidad. Idealista.

Capricornio
22 de diciembre al 20 de enero

- Parece serio, pero tiene sentido del humor.
- Práctico, disciplinado y prudente.
- Ante las situaciones difíciles, pesimista y fatalista.

Leo
23 de julio al 23 de agosto

- Independiente y apasionado.
- Tiene un gran sentido práctico.
- Ante las situaciones difíciles, es muy valiente.

Géminis
22 de mayo al 21 de junio

- Hablador, le encanta estar con amigos.
- Inteligente y creativo.
- Es optimista y alegre.

Virgo
24 de agosto al 23 de septiembre

- Parece serio y frío, pero tiene un gran sentido del humor.
- Es ambicioso y paciente.
- Tiene un carácter tranquilo y seguridad en sí mismo.

2. Hablar de las preferencias.

a. Contesta a las preguntas.

1. Tu político/a favorito/a. ¿Cómo es?
2. Tu cantante favorito/a. ¿Qué tipo de música hace?
3. Tu libro preferido. ¿Quién es el autor/–a y de qué trata?
4. Tu juego favorito de la PlayStation o del ordenador. ¿Por qué?
5. Tu deporte favorito. Tu equipo o deportista favorito/a.

3. Expresar la opinión y la causa.

a. Elige una opinión y escríbela usando *a mí me parece que...*, argumentando con *porque...*, *es que...*

APRENDER ESPAÑOL ES:

- Muy difícil
- Fácil
- Útil
- Divertido

PARA PERFECCIONAR EL ESPAÑOL, LO MEJOR ES:

- Hacer unas prácticas en una empresa española.
- Hacer el curso en Internet del Instituto Cervantes.
- Tener un/a novio/a español/-a.

ES MEJOR TENER:

- Un/a profesor/-a que habla tu idioma.
- Un/a profesor/-a de Hispanoamérica.
- Un/a profesor/-a español/-a.

Gramática

4. Contraste entre ser y estar.

Completa con *ser* o *estar*.

- Últimamente .... muy contenta con mi trabajo.
- Pues yo no .... muy satisfecho: solo tengo problemas.
- Es que tú .... un poco pesimista.
- Puede ser.

- ¿Qué te pasa?
- Nada, que .... un poco deprimida.
- ¡Vaya!

- Me gusta mucho Rafa, ¡............. tan alegre!
- ¿Alegre? Pero si .... muy pesimista.
- ¿Ah, sí?

- ¡Da gusto con Ana! Siempre .... de buen humor.
- Es que Ana .... muy alegre.

- Es difícil trabajar con Mario. ¡............. muy pasivo!

5. El género de los nombres.

Di si estas palabras son masculinas, femeninas o pueden ser de los dos géneros. Cambia el género donde es posible.

1. doctor ....
2. problema ....
3. silla ....
4. lector ....
5. sistema ....
6. tema ....
7. mano ....
8. planta ....
9. pintor ....
10. admiradora ....
11. pianista ....
12. niña ....
13. concepto ....
14. mesa ....
15. actor ....

6. Expresiones de causa.

Lee el siguiente texto y completa las frases.

«El cambio climático es ya una realidad en nuestro planeta. Está causado principalmente por el CO_2 emitido a la atmósfera por la quema de combustibles fósiles (carbón, petróleo, gas natural). Estos combustibles se queman para producir energía eléctrica y también para el transporte. Se están produciendo fenómenos como el aumento de la temperatura, el deshielo en las zonas polares, sequías e inundaciones. En 50 años el cambio climático puede ser irreversible. Las energías sostenibles y la energía nuclear son las alternativas».

1. Como ...., se está produciendo un aumento de la temperatura.
2. .... porque consumimos más energía de la necesaria.
3. El transporte emite mucho CO_2 porque ....
4. Como ...., la energía solar y la energía nuclear pueden ser una solución.

Vocabulario

7. Los estados de ánimo.

Escribe debajo de cada persona el adjetivo correspondiente.

triste, alegre, enfadado, tímido, aburrido, serio, cansado, enfermo

1. .... 2. .... 3. .... 4. ....

5. .... 6. .... 7. .... 8. ....

8. Las características profesionales.

Escucha y rellena el siguiente perfil profesional.

Guillermo González

Formación ....

Experiencia ....

Idiomas ....

9. Los deportes.

tenis, entrenador, esquí, surf, golf, ciclismo, baloncesto, árbitro

a. Adivina quién es o a qué deporte se refiere.

1. Va vestido de negro y corre de un lado al otro en un campo de fútbol.
2. Entrena a un equipo de fútbol y está muy nervioso durante los partidos.
3. Puede ser en pista de hierba o de tierra batida.
4. Se practica mucho en el norte de Europa y en los países fríos.
5. Son necesarias 5 personas en cada equipo.
6. Son muy famosos el *Tour* de Francia o la Vuelta a España.
7. ¿Es un deporte solo para personas mayores?
8. Se practica mucho en la costa de Tarifa.

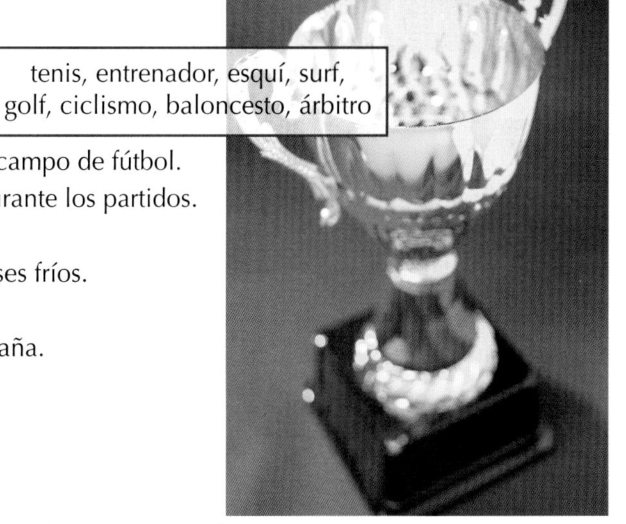

b. Lee esta descripción del baloncesto y escribe una similar para otro deporte.

*El **baloncesto** es un deporte que consiste en introducir una pelota en un cesto. Se juega con dos equipos de cinco personas, durante 4 periodos de 10 (internacional) o 12 (NBA) minutos cada uno. Al finalizar el segundo tiempo, se realiza un descanso. La Selección Española de Baloncesto ha sido campeona del mundo en 2006.*

Módulo 2

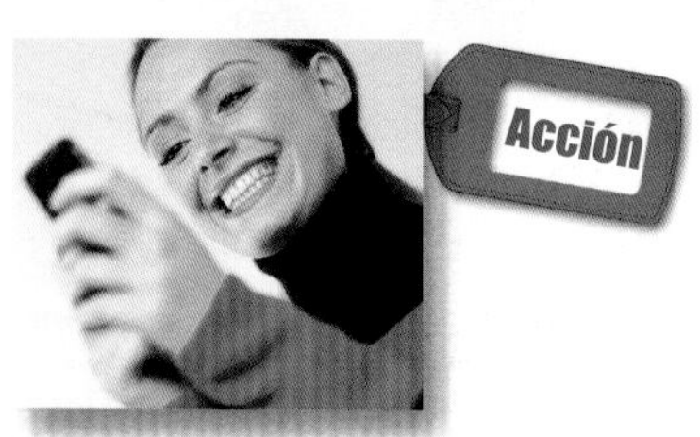

Ámbito Personal

Creas tu álbum en Internet o presentas unas fotos.

- **Competencia léxica:** los verbos para hablar de la vida de una persona.
- **Competencia gramatical:** el pretérito indefinido.
- **Competencia fonética y ortográfica:** la *ce* y la *zeta* en el indefinido del verbo *hacer*.
- **Competencia funcional:** relatar en pasado.
- **Competencia sociolingüística:** las etapas de la vida.

Ámbito Público

Participas en una tertulia y presentas a un personaje importante.

- **Competencia léxica:** los estilos artísticos y los términos para describir un cuadro.
- **Competencia fonética y ortográfica:** la pronunciación de los grupos *cr, cl, cc* y *c* + consonante.
- **Competencia funcional:** informarse de las salas de un museo.
- **Competencia gramatical:** los marcadores temporales.
- **Competencia sociolingüística:** los turnos de habla.

Ámbito Profesional

Completas tu currículum para poder encontrar un trabajo.

- **Competencia léxica:** los títulos.
- **Competencia sociolingüística:** presentar un currículum.
- **Competencia funcional:** la entrevista de trabajo.
- **Competencia gramatical:** *hace, hace que* y *desde hace*.
- **Competencia fonética y ortográfica:** la *ce*, la *zeta* y la *cu*. El seseo.

Cultura hispánica

Argentina, España y México.

- Imágenes significativas.
- Un poco de historia.
- Pautas históricas de tu país.

Enfoque arte

El baile flamenco: Sara Baras.

Ámbito Académico

Portfolio: evalúa tus conocimientos.

Laboratorio de Lengua: refuerza tu aprendizaje.

hablar del pasado

DATOS PERSONALES

Sofía Peralta Díaz
C/ Salesas, 45
28016 Madrid
91 528 23 92
Nacionalidad española. Nacida el 01-06-1972. Soltera.

EXPERIENCIA LABORAL

- Auxiliar de Recursos Humanos y Contabilidad en Tringe S.L., julio a diciembre de 1997.
- Consultora financiera en Asesoría jurídico laboral Planes, julio de 1998 a septiembre de 2004.

EDUCACIÓN Y FORMACIÓN

Licenciada en Ciencias Económicas por la Universidad Complutens

Cursos

- Curso práctico Contabilidad y Gestión Empresarial. Junio de 199
- Derecho Internacional y Comercio Exterior en 2005.

IDIOMAS

- Certificado de nivel superior C1 de Inglés.
- Francés y alemán fluido, escrito y oral.
- Conocimientos de italiano.

INFORMÁTICA

- Usuario ... ok.
- Dise...

CAP

- ...
- ... s.
... o literario *Decimoc*

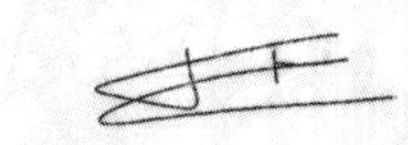

PERMISO DE CONDUCCIÓN REINO DE ESPAÑA
E
1. MARTÍNEZ
GARCÍA
2. MARÍA DEL CARMEN
3. 20-09-1980 ÁVILA
4a. 02-04-2007 4b. 16-04-2012 4c. 28-00
5. 07350882-B 9. B

Ámbito Personal

Acción **Creas tu álbum en Internet o presentas unas fotos.**

Vamos a aprender a:
hablar de hechos pasados.

Lee el vocabulario y escribe el nombre de cada documento.

módulo 2	vocabulario

1. el carné de conducir
2. el título universitario
3. el certificado de matrimonio
4. el libro de familia
5. el contrato de trabajo

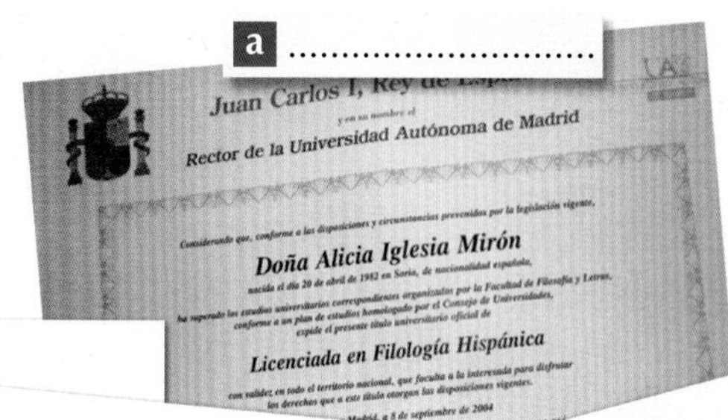

a ....

Juan Carlos I, Rey de España
Rector de la Universidad Autónoma de Madrid
Doña Alicia Iglesia Mirón
Licenciada en Filología Hispánica

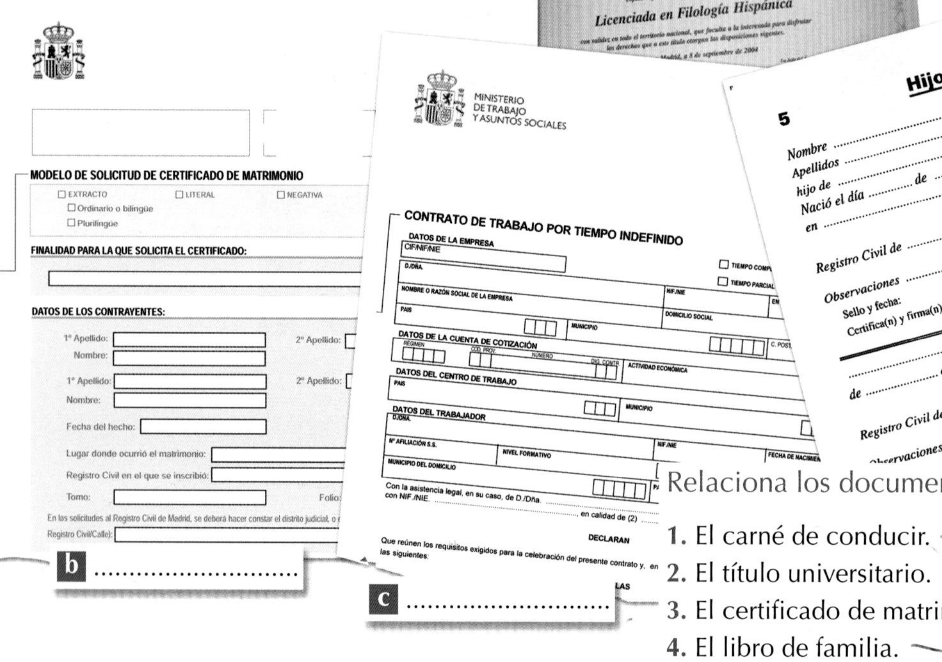

MODELO DE SOLICITUD DE CERTIFICADO DE MATRIMONIO
☐ EXTRACTO ☐ LITERAL ☐ NEGATIVA
☐ Ordinario o bilingüe
☐ Plurilingüe
FINALIDAD PARA LA QUE SOLICITA EL CERTIFICADO:
DATOS DE LOS CONTRAYENTES:
1º Apellido: 2º Apellido:
Nombre:
1º Apellido: 2º Apellido:
Nombre:
Fecha del hecho:
Lugar donde ocurrió el matrimonio:
Registro Civil en el que se inscribió:
Tomo: Folio:

b ....

MINISTERIO DE TRABAJO Y ASUNTOS SOCIALES
CONTRATO DE TRABAJO POR TIEMPO INDEFINIDO
DATOS DE LA EMPRESA
DATOS DE LA CUENTA DE COTIZACIÓN
DATOS DEL CENTRO DE TRABAJO
DATOS DEL TRABAJADOR
DECLARAN

c ....

Hijo
5
Nombre ....
Apellidos ....
hijo de .... y de ....
Nació el día .... de .... de ....
en ....
Registro Civil de ....
Observaciones ....
Sello y fecha:
Certifica(n) y firma(n) D. ....

d ....

PERMISO DE CONDUCCIÓN REINO DE ESPAÑA
1. MARTÍNEZ GARCÍA
2. MARÍA DEL CARMEN
3. 20-09-1980 ÁVILA
4a. 02-04-2007 4b. 16-04-2012 4c. 28-00

e ....

Relaciona los documentos con los verbos.

1. El carné de conducir.
2. El título universitario.
3. El certificado de matrimonio.
4. El libro de familia.
5. El contrato de trabajo.

a. Empezar a trabajar.
b. Aprender a conducir.
c. Licenciarse.
d. Casarse.
e. Tener uno / dos... hijo(s).

1 Competencia léxica: los verbos para hablar de la vida de una persona.

Hablar de tu vida.

a. Relaciona las fotos con los verbos.

1. Nacer
2. Licenciarse o graduarse
3. Sacarse el carné de conducir
4. Tener un/a novio/a
5. Comprar o alquilar un piso
6. Casarse
7. Tener un / varios hijo(s)
8. Morir
9. Viajar
10. Jubilarse

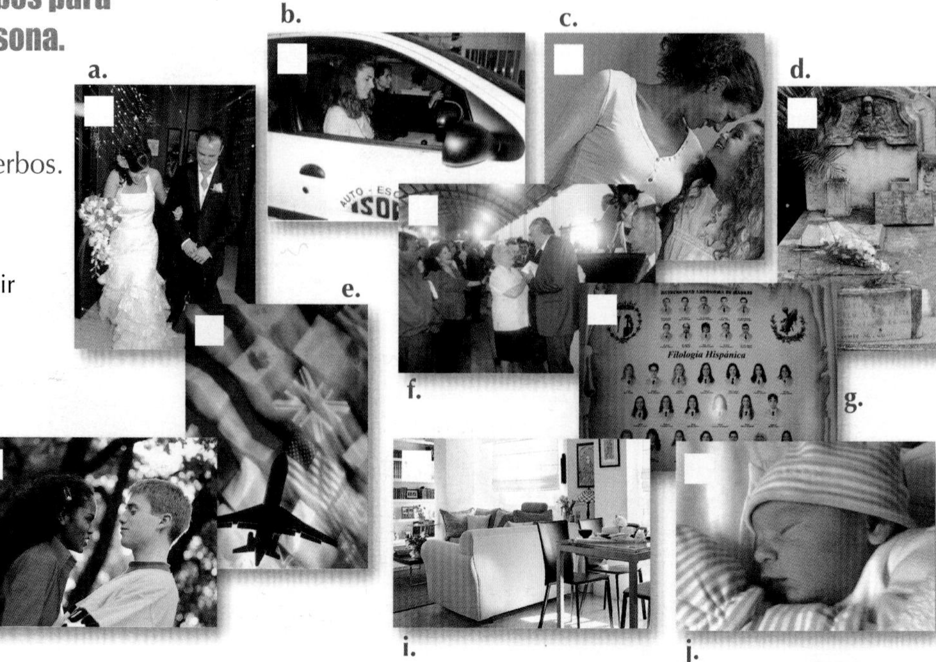

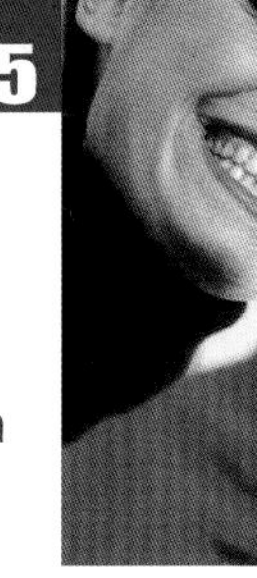

Los momentos importantes de la vida.

12 **b.** Escucha a esta persona, identifica de qué ilustración habla y escribe el pie de imagen correspondiente.

1. ......7......

2. ......3......

3. ......10......

4. ......2......

5. ......9......

6. ......9 E......

7. ......8......

8. ......8 b......

9. ......4......

10. ......5......

2

simple past - action completed in the past

Competencia gramatical: el pretérito indefinido.

¿Y cómo os conocisteis?

a. Lee los textos y subraya los verbos.

Me casé en 1989.

¿Cuándo te casaste?

Tú eres mucho mayor que Berta, ¿no?

No tanto. Yo nací en 1972 y mi hermana nació en el 74.

¿Cuándo se casaron tus padres? ¿Y tú?

Mis padres se casaron el 15 de mayo de 1970 y nosotros nos casamos el 15 de mayo de 2005.

Y tú, ¿cuándo alquilaste el primer piso?

Pues a los 20. Bueno, al principio viví en un piso con unos amigos. Alquilamos un apartamento cerca de la universidad y vivimos allí durante los 3 últimos años de la carrera.

La forma del indefinido.

b. Completa el cuadro con las formas que faltan.

-ar	-er	-ir
Casarse	**Nacer**	**Vivir**
me	....	....
te	naciste	viviste
se casó	....	vivió
nos	nacimos	....
os	nacisteis	vivisteis
se	nacieron	....

Momentos importantes.

c. Escucha de nuevo y cuenta tres momentos importantes de tu vida imitando el modelo.

Miguel de Cervantes: escritor y aventurero.

d. Miguel de Cervantes es el escritor español más famoso. Además tuvo una vida llena de aventuras. Lee el texto y descubre cuándo ocurrió.

LA VIDA DE MIGUEL DE CERVANTES

Miguel de Cervantes Saavedra nació el 29 de septiembre de 1547 en Alcalá de Henares (Madrid). En 1566 se trasladó a Madrid. A los 19 años publicó sus primeros poemas. Trabajó de actor en teatros en la calle.

En 1569, a los 22, tuvo problemas con la justicia y se marchó a Italia donde conoció a grandes poetas. Un año después se hizo soldado. En 1571, a los 24, participó en la batalla de Lepanto contra el ejército turco. Allí perdió el movimiento en la mano izquierda, por lo que fue llamado *el manco de Lepanto*. Continuó como soldado hasta 1575. En su viaje de regreso a España desde Nápoles, los turcos le hicieron prisionero. A los nueve años de estar preso, fue liberado y volvió por fin a España.

Con su amante tuvo una hija, Isabel. En 1584, a los 37, se casó con Catalina de Salazar y Palacios, una mujer de 20 años. Se separó de ella a los dos años, sin tener hijos. En 1585 publicó *La Galatea*, su primera obra importante.

En 1587, viajó a Andalucía como empleado de la Armada Invencible. Durante estos años, recorrió muchas veces el camino que va desde Madrid a Andalucía, pasando por Castilla-La Mancha. En aquella época escribió la mayoría de sus obras.

Trabajó como cobrador de impuestos y, en 1597, fue a la cárcel por problemas económicos. En la cárcel empezó a escribir su obra más importante, *El ingenioso hidalgo don Quijote de la Mancha*. Lo terminó y publicó en 1605, a los 58 años. Dos días antes de morir, terminó *Los trabajos de Persiles y Segismunda*. Murió en 1616. Hoy es considerado el mejor escritor en lengua española y, por eso, al español se le llama *la lengua de Cervantes*.

- Anota qué hizo... →A los 19 .... →A los 22 .... →A los 24 ....
→A los 28 .... →A los 37 .... →A los 58 ....

- Después, subraya los verbos en pretérito indefinido y di su infinitivo.

Algunos verbos irregulares.

e. Observa estos verbos irregulares y completa las formas que faltan.

Ir y ser*	Estar	Tener	Hacer
fui	....	....	hice
....	estuviste	....	....
fue	....	tuvo	hizo
fuimos	....	tuvimos	....
....	....	....	hicisteis
....	estuvieron	....	....

* IR Y SER: la conjugación de estos dos verbos en pretérito indefinido es idéntica.

Logotipo, V Centenario del Quijote.

Resumen de la vida de Cervantes.

f. Elige cinco momentos de la vida de Cervantes y resume su vida.

3 Competencia fonética y ortográfica: la ce y la zeta en el indefinido del verbo hacer.

El verbo hacer en indefinido.

a. Lee los textos en voz alta y observa. Después completa la regla.

- Las vacaciones pasadas **hice** un crucero por el Mediterráneo. Y vosotros, ¿qué **hicisteis**?
  – No **hicimos** nada especial. Juan **hizo** otro curso de idiomas en el extranjero y yo me quedé en casa.
- ¿Qué **hicieron** ustedes ayer?
  – Vimos una exposición muy bonita.
- Hijo, ¿**hiciste** los deberes?
  – Sí, mamá.

ce y zeta

En el indefinido del verbo *hacer* cambia la .... por *zeta* en la .... persona ...., pero se pronuncia siempre igual.

Aplica la regla.

b. Completa los diálogos con *ce* o con *zeta*.

- Mis primos el año pasado hi…ieron un viaje por La Rioja y les gustó mucho.
- Claro, La Rioja es muy bonita. Yo también hi...e un viaje por allí hace años y me gustó mucho.

- ¿Qué hi…iste ayer?, ¿por qué no viniste a mi fiesta?
- Es que se me olvidó.

- Sus padres hi…ieron mucho dinero con su pequeña empresa, pero él se lo gastó todo y ahora no tiene dinero.
- Bueno, él hi…o un negocio que le salió mal. No se le puede criticar.

- Lo siento, ayer no hi…e los deberes.
- Pues los ha…es hoy.

- ¿Qué hi…isteis con la casa de vuestros abuelos, la vendisteis?
- No, qué va. Le hi…imos una buena reforma y ahora vivimos en ella.

4 Competencia funcional: relatar en pasado.

¿Cuándo fue?

a. A partir del texto sobre la vida de Cervantes, relaciona la época con los hechos.

1. A los 58 (años)
2. Al volver a España
3. A los 22 (años)
4. En aquella época
5. A los 9 años de estar preso

a. escribió la mayoría de sus obras.
b. tuvo problemas y se fue a Italia.
c. fue liberado.
d. los turcos le hicieron prisionero.
e. publicó su gran obra.

– Observa las frases anteriores y completa la regla.

→después de otra acción
→la edad a la que
→dos acciones o acontecimientos

Se utiliza **a los + *número de años*** para expresar .... se realizó algo; **a los + *años* + de + *algo*** para indicar el tiempo entre ....; **al + *un verbo*** para indicar que algo ocurre .... y **en aquella época** para referirse a un periodo.

Al y a los

Al + infinitivo
A los + años

La vida es un puzzle.

b. Reconstruye la vida de Paco y escribe las frases.

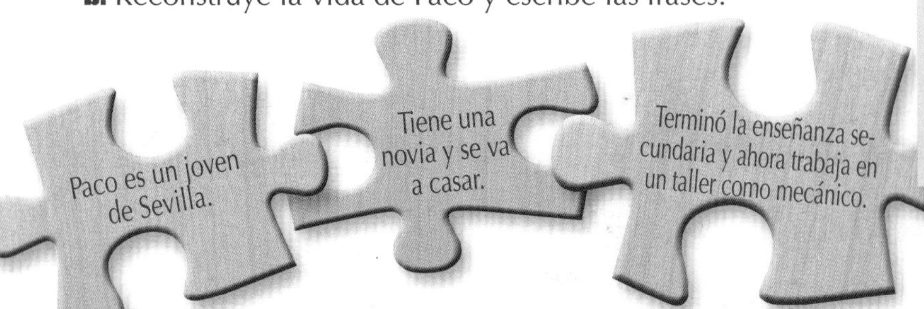

1. Ir a Sevilla a vivir. Tener 6 años. *A los 6 años se fue a vivir a Sevilla.*
2. Conocer a su mejor amigo. Empezar la escuela primaria. ....
3. Hacer estudios de mecánica. Terminar la escuela secundaria. ....
4. Hacer unas prácticas en un taller de coches. Tener 18 años. ....
5. Tener su propio taller con su amigo. Terminar las prácticas. ....
6. Conocer a su novia. Tener 22 años. ....
7. Casarse con ella. Comprar un piso. ....

5 Competencia sociolingüística: las etapas de la vida.

España en cifras.

a. Observa estos datos de España y marca cómo es en tu país.

	EN ESPAÑA	EN TU PAÍS
EL SISTEMA EDUCATIVO Y LAS EDADES	Normalmente los niños empiezan a ir a la escuela a los 3 años: es la educación infantil. La escuela primaria va desde los 6 hasta los 12 años. La escuela secundaria va desde los 12 hasta los 16 años. Legalmente a los 16 se puede empezar a trabajar. El bachillerato va desde los 16 hasta los 18 años. La universidad normalmente dura 5 años.	
OTROS APRENDIZAJES	Se puede empezar a conducir a los 18 años.	
DATOS DE BODAS	La edad media para casarse en España es a los 28 años.	

Me hice un lío.

b. Lee este texto y complétalo con los datos que faltan.

Un ciudadano medio español empieza la escuela obligatoria .... A los .... puede empezar a trabajar, pero hay muchos que optan por ir a la universidad o por hacer estudios técnicos. Para entrar en la universidad antes hay que hacer un bachillerato que dura .... años. A los .... años se puede empezar la universidad. Algunos estudiantes van en coche porque se puede conducir desde los .... La mayoría de los universitarios termina su carrera a los ....

¿Y en tu país?

c. Escribe un texto similar al anterior con la información de tu país.

Creas tu álbum en Internet o presentas unas fotos.

Comparte tus fotos, comparte tu vida.

En muchas conversaciones con hispanos, te preguntarán sobre tu pasado, sobre cómo has aprendido español o sobre tus mejores momentos.

Crea tu álbum de Internet o presenta unas fotos. Después, cuéntale a tu compañero los momentos más importantes de tu vida. ¿Tenéis momentos parecidos?

- → La escuela.
- → Tu primer viaje.
- → ¿Cómo conociste a tu mejor amigo o amiga?
- → Tu primer trabajo.
- → Los idiomas que hablas y cómo los aprendiste.
- → Etc.

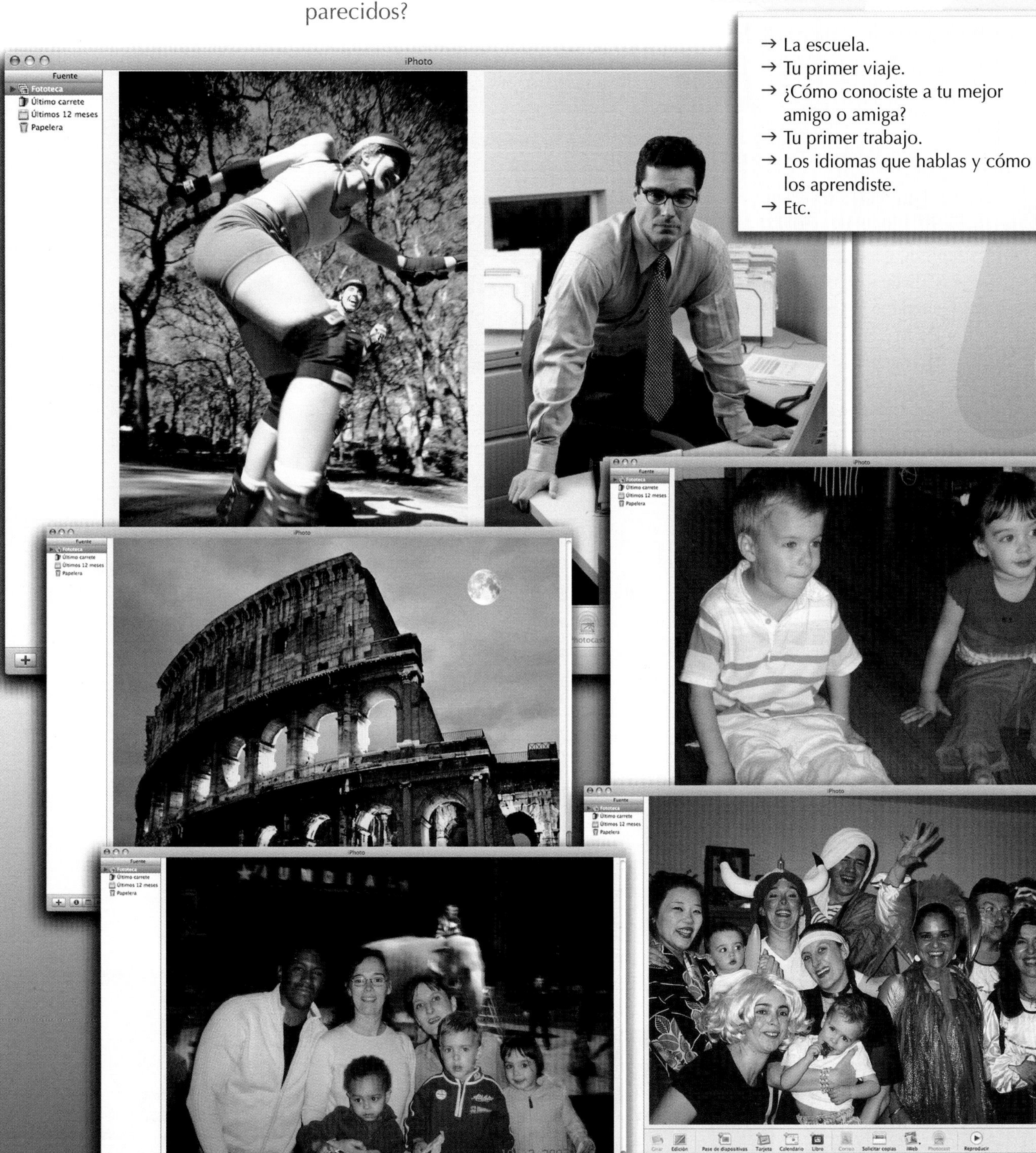

Ámbito Público

Acción **Participas en una tertulia y presentas a un personaje importante.**

Vamos a aprender a:
describir en detalle una obra, los momentos importantes, la vida de una persona, etc.

Observa este texto sobre el Museo del Prado y responde con verdadero o falso.

Museo Nacional del Prado

Dirección: Paseo del Prado, s/n
Teléfono: 91 330 28 00 y 91 330 29 00
E-mail: museo.nacional@prado.mcu.es
Horario: M-D de 9 a 20 h. (Cerrado: L)
Precio: General: 6 €, reducida: 3 €
Gratuito: De M a S de 18 a 20 h.
Domingos de 17 a 20 h.
Municipio: Madrid
Zona: Centro
Metro: Atocha (Línea 1), Banco de España (Línea 2)

La joya de Madrid

El Museo del Prado es una de las mayores pinacotecas del mundo. Es un edificio de finales del siglo XVIII ampliado en el siglo XXI por el arquitecto Moneo. Si vives en Madrid o si vas de viaje, tienes que verlo porque en él hay cuadros representativos desde la Edad Media hasta principios del siglo XX, de pintores muy famosos como Velázquez, Goya, Murillo, el Greco y de pintores del Renacimiento italiano, pinturas flamencas, etc.

	V	F
1. El Museo del Prado está en Barcelona.	☐	☐
2. Es una de las mayores pinacotecas del mundo.	☐	☐
3. La última reforma la realizó Moneo.	☐	☐
4. En él hay cuadros de todas las épocas, hasta la pintura más contemporánea.	☐	☐
5. Solo hay cuadros de pintores españoles.	☐	☐
6. La entrada es gratuita siempre.	☐	☐

1 Competencia léxica: los estilos artísticos y los términos para describir un cuadro.

¿Cuál te gusta más?

a. Califica cada obra con el tipo de cuadro y el estilo.

1. Bodegón
2. Retrato
3. Escena
4. Realista
5. Abstracto
6. Cubista

a *Bodegón.* Zurbarán

b *Las Hilanderas.* Velázquez

c *Poires et raisins sur une table.* Juan Gris

d *El caballero de la mano en el pecho.* El Greco

e *Guernica.* Picasso

- Elige un cuadro, dale un adjetivo y explica por qué te gusta.

✓ Moderno
✓ Clásico
✓ Interesante
✓ Bien hecho
✓ Alegre y fresco
✓ Triste y oscuro
✓ Realista

Describir un cuadro.

13 **b.** Escucha la descripción que hace esta guía de *Las Meninas* y marca en el cuadro los personajes.

Las Meninas. Velázquez

Identifica a los personajes.

c. Lee ahora la descripción e identifica a los personajes.

Vemos a varios personajes dentro de una sala oscura, es en el antiguo Alcázar de Madrid. En primer plano, a la derecha hay un perro y un niño que está jugando con él. Al lado del niño, una enana está mirando hacia nosotros. En el centro se ve a una niña rubia, es la infanta Margarita; a los lados de la niña hay dos chicas, una le da algo, la otra está mirando hacia nosotros, son las meninas . A la izquierda está Velázquez pintando delante de un gran cuadro. A la derecha, detrás de la enana, vemos a un hombre y una mujer que están hablando. Al fondo de la habitación, junto a una puerta abierta, hay un hombre subiendo unas escaleras. Al fondo, en un espejo se ve el reflejo de las figuras de los reyes Felipe IV y Mariana de Austria.*

*damas que servían a las infantas.

- Relaciona los personajes con su ubicación.

1. Al lado del niño
2. A los lados
3. Al fondo
4. Dentro del espejo
5. En el centro
6. Detrás
7. A la izquierda
8. En primer plano

a. Las meninas
b. La infanta Margarita
c. Un hombre y una mujer
d. Una enana
e. Un hombre
f. Un perro y un niño
g. Velázquez
h. Los reyes Felipe IV y Mariana de Austria

Tu cuadro favorito.

d. Trae a clase una foto de tu cuadro favorito o elige uno de los siguientes y descríbelo e inventa un título.

3 Barceló

Describir un cuadro

En primer plano
En segundo plano
En el centro
A la izquierda
A la derecha
Al fondo

Hay - Está - Vemos a

1 Picasso

2 Sorolla

2 Competencia fonética y ortográfica: la pronunciación de los grupos cr, cl, cc y c + consonante.

Abstracto, clásico, crítico.

a. Escucha y completa las palabras.

1. _ _ ítico	4. a_ _ividad	7. dire_ _ión	10. prá_ _ico
2. es _ _ avo	5. ele_ _ión	8. _ _eer	11. constru_ _ión
3. a_ _ión	6. té_ nico	9. _ _uz	12. demo_ _acia

La ce no siempre se pronuncia [k].

b. En las palabras anteriores identifica cuándo.

Ahora tú.

c. Lee estas palabras en voz alta. Después escucha y comprueba.

1. acné
2. describir
3. clásico
4. perfeccionar
5. característico
6. concreto
7. clasificar
8. conectar
9. protección

3 Competencia funcional: informarse de las salas de un museo.

Una tarde en el Museo del Prado.

a. Escucha el diálogo y marca si es verdadero o falso.

	V	F
1. Quiere ver todo el museo.	☐	☐
2. No tiene mucho tiempo.	☐	☐
3. El guía le recomienda ver las salas de Velázquez y Goya.	☐	☐
4. Velázquez fue un pintor del siglo XVII.	☐	☐
5. La obra más famosa de Velázquez es *Las Meninas*.	☐	☐
6. Goya pintó en un solo estilo muy característico.	☐	☐
7. Goya pintó cuadros alegres sobre la vida de la época.	☐	☐
8. Después de la guerra, las pinturas de Goya son de muchos colores.	☐	☐

Los fusilamientos del tres de mayo. Francisco de Goya.

¿Dónde están Las Meninas?

b. Escucha otra vez el diálogo y sitúa en el plano dónde están las obras de Velázquez.

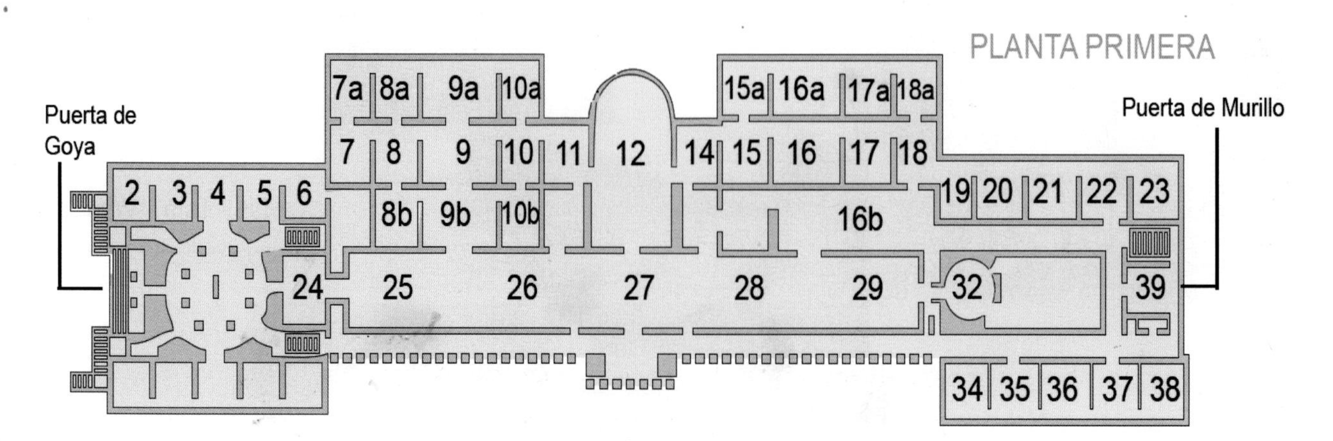

4 Competencia gramatical: los marcadores temporales.

La vida de los pintores.

a. Lee los textos y subraya los marcadores temporales.

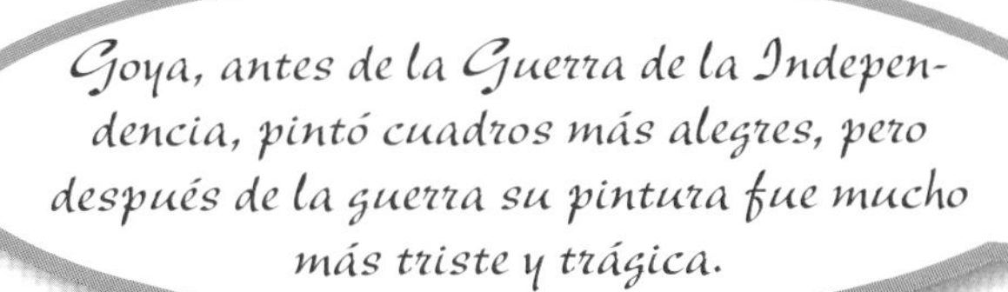

Velázquez fue pintor del rey desde 1623 hasta su muerte, es decir, de 1623 a 1660.

Durante el siglo XVII, durante el Barroco, el gran pintor español fue Velázquez.

– Relaciona los marcadores temporales con su significado.

Indica que un acontecimiento ocurre…

1. en un momento concreto.
2. entre dos fechas o dos acontecimientos.
3. entre dos fechas.
4. en un periodo.
5. en un periodo posterior.
6. en un periodo anterior.

a. **Antes de** + *dato o fecha*
b. **Durante** + *periodo*
c. **Después de** + *dato o fecha*
d. **En** + *fecha*
e. **De** + *año* + **a** + *año*
f. **Desde** + *año o dato* + **hasta** + *año o dato*

Comprueba.

b. Completa las frases del diálogo 3.a con *de – a, desde – hasta, en, durante, antes de o después de.*

de… a… / desde… hasta…

de… a… solo se utiliza con fechas (horas, días, meses o años).
desde… hasta… también con datos o acontecimientos.

Velázquez vivió ………… 1599 ………… 1660, es decir, ………… el siglo XVII. Fue pintor de Corte, del rey Felipe IV ………… 1623 ………… su muerte. ………… 1656 pintó su obra más famosa, *Las Meninas*. Vivió ………… nacer Goya.

Goya, ………… enero de 1775 ………… 1792, se dedicó a los cartones para la Fábrica de tapices. ………… esta época retrató de forma fresca y amable la vida cotidiana de la España de aquel periodo. Después fue pintor de Corte, del rey Carlos IV. ………… 1789 cambió su estilo y se hizo más crítico e irónico con *Los caprichos*. ………… la Guerra de la Independencia su obra se hizo más oscura y triste. Es la época de las pinturas negras.

5 Competencia sociolingüística: los turnos de habla.

Los españoles interrumpen al hablar.

a. Lee e infórmate. ¿Cómo es en tu cultura?

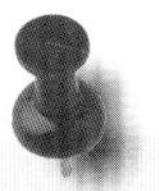

En cada cultura hay diferentes formas de actuar cuando una persona nos cuenta algo personal. Hay culturas en las que lo correcto es guardar silencio cuando alguien nos cuenta algo, y después intervenir. En la cultura española lo normal es interrumpir a la persona para mostrar interés en lo que está diciendo. Un silencio muy largo puede ser interpretado como desinterés.

¿De verdad?

b. Observa este diálogo y marca las expresiones que utilizan para interrumpir y para retomar la conversación.

- ¿Sabes? Yo una vez cené con un famoso.
- ¿De verdad?
- Pues sí. Estaba en una exposición de pintura y me presentaron a Penélope Cruz.
- ¡No me digas!
- Y nos pusimos a hablar de un cuadro muy bonito.
- ¡Ajá!
- Y, bueno, nos caímos bien.
- ¡Ya!
- Sí, sí. Y ella me invitó a cenar.
- ¡No!
- Que sí. Y fuimos a un restaurante a tomar algo. Estuvimos toda la noche hablando de pintura.

Habla como un español.

c. Cuenta un acontecimiento sorprendente de tu vida. Puede ser real o imaginario. Tu compañero va a intervenir.

- Hiciste una exposición de tus cuadros.
- Conociste a alguien famoso.
- Estuviste en una fiesta fantástica.
- Diste una conferencia ante mucha gente.
- Viste un platillo volante, un OVNI.

Fórmulas para interrumpir

Mostrar interés	¡Ajá! ¡Ya! ¿Sí?
Mostrar sorpresa	¿De verdad? ¡No me digas! ¿Sí? ¡No!
Mostrar pena	¡Qué pena! Vaya.

Participas en una tertulia y presentas a un personaje importante.

En muchas conversaciones, vas a hablar de tus personajes más importantes o de quien tú consideras más influyente, de tus héroes o incluso de los personajes históricos que te gustan.

¿Cuál es el personaje histórico, científico o artístico más importante para ti? ¿Por qué te parece tan importante?

1. Piensa en tu personaje favorito.

2. Explica por qué lo consideras tan importante.

3. Anota todos los datos que recuerdas de esa persona.

4. Describe una de sus obras o de sus hechos que más te gustan.

Ahora explícalo. Tu compañero rellenará esta ficha.

Nombre del personaje:

¿Quién fue?

¿Qué hizo?

¿Cuál fue su obra más importante?

¿Cómo es esa obra?

Ámbito Profesional

Acción **Completas tu currículum para poder encontrar un trabajo.**

Vamos a aprender a:
presentarnos a un puesto de trabajo.

Observa y relaciona los títulos de la columna de la derecha con su nombre.

módulo 2 **vocabulario**

1. Bachillerato
2. Doctor/-a en...
3. Graduado escolar
4. Licenciado/a en...
5. Máster en...
6. Técnico/a de...
7. Técnico/a superior de...

Títulos correspondientes a las enseñanzas

- ☐ **Título de Graduado en Educación Secundaria Obligatoria**
  Estudios requeridos: Educación Secundaria Obligatoria (12 a 16 años)
- ☐ **Título de Bachillerato**
  Estudios requeridos: Bachillerato (16 a 18 años)
- ☐ **Título de Técnico**
  Estudios requeridos: Ciclo Formativo de Grado medio
- ☐ **Título de Técnico superior**
  Estudios requeridos: Ciclo Formativo de Grado superior
- ☐ **Título de licenciatura en una carrera universitaria**
  Estudios requeridos: Cinco cursos de la carrera universitaria
- ☐ **Título máster de especialista**
  Estudios requeridos: 500 horas de estudio de postgrado
- ☐ **Título de doctor en una disciplina universitaria**
  Estudios requeridos: Los cursos de doctorado correspondientes y realización de la tesis doctoral

– Explica cómo es en tu país, ¿cuántos años se necesitan para obtener cada título?

1 Competencia léxica: los títulos.

¿Licenciado o doctor?

a. Relaciona.

1. Después de la universidad escribió la tesis doctoral...
2. Diseña casas y edificios...
3. En la universidad terminó Derecho...
4. Hizo estudios de secretariado y administración...
5. Estudió Historia en la universidad...
6. Trabajó ayudando en un hospital...
7. Trabajó muchos años como jardinero y ahora es el jefe...
8. Organiza el departamento de ventas...
9. Trabaja como especialista en informática...
10. Trabajo como obrero y tengo mucha experiencia...

a. es arquitecta.
b. es auxiliar administrativo.
c. es auxiliar de clínica o de enfermería.
d. es coordinador de su departamento.
e. es jardinero jefe del parque.
f. es licenciado en Historia.
g. es técnico informático.
h. y ahora es abogada.
i. ya es doctora.
j. ahora soy obrero especializado.

Los españoles y la educación.

b. Observa los datos y explica los porcentajes de estudios de los españoles de mayor a menor frecuencia.

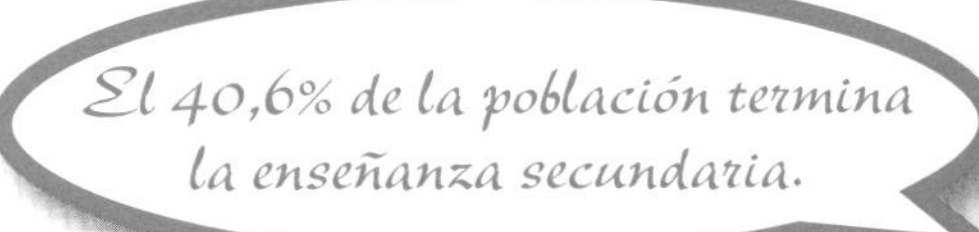

La mayoría de...
Un x por ciento de...
Estudia...
Termina...

Y tú, ¿qué estudios tienes? ¿Qué quieres ser?

c. Explica tu formación: qué título tienes o qué quieres hacer.

POBLACIÓN DE 16 Y MÁS AÑOS POR ESTUDIOS TERMINADOS

Analfabetos	3,1%
Sin estudios	11,3%
Educación primaria	25,8%
Educación secundaria	40,6%
1.er ciclo	23,7%
2.º ciclo	16,9%
Educación superior	19,1%
Técnicos profesionales superiores	5,7%
Educación universitaria	13,3%
3.er ciclo: doctorado	0,2%

Fuente: Instituto Nacional de Estadística (2005)

2 Competencia sociolingüística: presentar un currículum.

¿Cómo hacer un currículum?

a. Lee este currículum.

DATOS PERSONALES

Sofía Peralta Díaz
C/ Salesas, 45
28016 Madrid
91 528 23 92
Nacionalidad española. Nacida el 01-06-1972. Soltera.

EXPERIENCIA LABORAL

- Auxiliar de Recursos Humanos y Contabilidad en Tringe S.L., julio a diciembre de 1997.
- Consultora financiera en Asesoría jurídico laboral Planes, julio de 1998 a septiembre de 2004.

EDUCACIÓN Y FORMACIÓN

Licenciada en Ciencias Económicas por la Universidad Complutense, Madrid, en 1997.

Cursos

- Curso práctico Contabilidad y Gestión Empresarial. Junio de 1998.
- Derecho Internacional y Comercio Exterior en 2005.

IDIOMAS

- Certificado de nivel superior C1 de Inglés.
- Francés y alemán fluido, escrito y oral.
- Conocimientos de italiano.

INFORMÁTICA

- Usuario de Windows 2000, Excel y Outlook.
- Diseña páginas web en HTML.

CAPACIDADES Y APTITUDES PERSONALES

- Organización del viaje de fin de carrera a Londres.
- Participación como miembro del jurado del Premio literario *Decimocuarta Consonante*.

¿Lo has entendido bien?

b. Lee estas frases y corrige la información incorrecta.

1. Estudió en la universidad de Madrid y se licenció en 1999.
2. Habla varios idiomas perfectamente: inglés, italiano y algo de francés.
3. No tiene experiencia laboral todavía.
4. Estuvo trabajando un año en Tringle S.L.
5. Está familiarizada con los ordenadores: Mac y diseño de páginas web.
6. Ha realizado varios cursos de control de calidad.

Ponle orden.

c. Ordena esta información cronológicamente.

- ☐ Trabajó en Tringe S.L. como ayudante de recursos humanos.
- ☐ Estuvo trabajando en una consultoría.
- ☐ Terminó la carrera.
- ☐ Hizo un curso de Contabilidad.
- ☐ Participó en un curso de Derecho Internacional.

3 Competencia funcional: la entrevista de trabajo.

Sofía hace una entrevista de trabajo.

17

a. Escucha y marca de qué hablan.

- ☐ Su carrera universitaria.
- ☐ Sus cursos de formación.
- ☐ Sus conocimientos de informática.

- ☐ Los idiomas que habla.
- ☐ Su experiencia profesional.
- ☐ La organización del viaje de fin de curso.

¿Habla inglés con fluidez?

b. Escucha de nuevo y relaciona.

1. Terminó la universidad
2. Empezó a trabajar
3. Aprendió inglés
4. Estuvo en Alemania
5. Hizo un curso de formación
6. Está en paro

a. y al mes consiguió un trabajo en una consultoría.
b. hace un año, para aprender la lengua.
c. hace 10 años.
d. ese mismo año.
e. desde hace 3 años.
f. en el instituto y en intercambios.

¿Tienes experiencia?

c. Lee las expresiones y marca la respuesta correcta.

1. «¿Tienes experiencia?» significa:
   ☐ Has trabajado antes en algo parecido. ☐ Has vivido mucho.
2. «Domino el inglés» significa: ☐ Soy más fuerte que los ingleses. ☐ Hablo y escribo bien en inglés.
3. «Tengo conocimientos de...» significa: ☐ Soy especialista en... ☐ Sé algo de...
4. «Hice cursos de...» significa: ☐ Fui alumno en cursos de... ☐ Fui profesor en cursos de...

¿Y tú?

d. Responde a las preguntas.

1. ¿En qué tienes experiencia?
2. ¿Dominas algún idioma? ¿Tienes conocimientos de algún idioma además del español?
3. ¿Tienes conocimientos de informática, jardinería, construcción, etc.?
4. ¿Qué cursos de formación realizaste o quieres realizar antes de empezar a trabajar?

4 Competencia gramatical:
hace, hace que y desde hace.

Empecé a trabajar hace dos años.

a. Observa, identifica el significado de las expresiones subrayadas y relaciona.

- Indicar **el principio** de una situación presente.
- Indicar **cuándo** ocurrió un hecho pasado.
- Expresar **el tiempo transcurrido** desde que ocurrió algo.

Terminé la carrera hace 10 años, en 1997.

¿Y usted está en paro desde hace tres años?

Hace un año que empecé a estudiar alemán y ahora lo hablo.

¿Qué hizo?

b. Relaciona.

1. Decidí venir a trabajar a este país
2. Empecé a trabajar en una empresa informática como técnico
3. Terminé el instituto
4. Trabajo en esta empresa
5. No viajo a EE. UU.

a. desde hace 10 años y ya soy directora.
b. y hace dos años que vivo aquí.
c. hace 5 años.
d. desde hace año y medio.
e. y hace dos años que trabajo como programador.

Tú y el español.

c. Responde a las preguntas.

1. ¿Cuándo empezaste a aprender español?
2. ¿Desde cuándo no ves una película española?
3. ¿Cuándo fue tu último viaje a España?
4. ¿Cuánto tiempo hace que no comes un plato hispano?

Acceso candidatos

Estás en: Página principal » Banesto

Tipo de industria: Servicios financieros Número de trab
Provincia: Madrid
País: España

Ofertas de la empresa

Fecha	Puesto vacante
13-09-2007	Gerente De Pymes Junior
13-09-2007	Gerente de Banca Personal
13-09-2007	Gerente de Banca Personal con Catalán.
13-09-2007	Gerente De Pymes Junior
13-09-2007	Gerente Junior Banca Corporativa
13-09-2007	Gestor Comercial Oficina Banca Fp
13-09-2007	Recién licenciados y diplomados (Cualquier área)
13-09-2007	Renta Fija yEstructurados Inversores Internacional
13-09-2007	Tu primer empleo
13-09-2007	Gerente Pymes Senior - Toda España.

Página princ

Sobre InfoJobs.net | Sala de prensa | Reglas de us

5 Competencia fonética y ortográfica: la ce, la zeta y la cu. El seseo.

¿Cuándo se pronuncia [θ] y cuándo [k]?

a. Escucha estas palabras y clasifícalas en la columna adecuada según el sonido.

1. **co**rrespondiente
2. **cur**so
3. reali**zar**
4. **doc**tora
5. li**cencia**do
6. sa**car**
7. **ca**sas
8. edifi**cio**
9. organi**zó**
10. arqui**tec**to
11. **clí**nica
12. par**que**

[θ]	[k]

Deduce la regla.

b. Relaciona.

Se pronuncia...	Se escribe...
1. [Ka]	a. C + a
2. [ke]	b. C + i
3. [ki]	c. C + u
4. [ko]	d. C + e
5. [Ku]	e. C + o
6. [θa]	f. Q + u + e
7. [θe]	g. Q + u + i
8. [θi]	h. Z + o
9. [θo]	i. Z + u
10. [θu]	j. Z + a

Comprueba.

c. Lee estas palabras.

1. Velázquez
2. cabo
3. hacer
4. querer
5. corazón
6. especialista
7. realizaste
8. química
9. carácter
10. cereza

El seseo.

d. Lee e infórmate. Después escucha las palabras anteriores y marca si lo dice una persona que sesea o no.

1. Velázquez ☐
2. cabo ☐
3. hacer ☐
4. querer ☐
5. corazón ☐
6. especialista ☐
7. realizaste ☐
8. química ☐
9. carácter ☐
10. cereza ☐

Seseo

En casi toda Latinoamérica y en zonas de España (centro de Andalucía y Canarias), *za, zo, zu, ce, ci* se pronuncian **[s]**. Es el *seseo*.

Completas tu currículum para poder encontrar un trabajo.

Es importante redactar un currículum con el orden adecuado, y prepararse bien para la entrevista de trabajo. Escribe tu currículum y explícaselo a tu compañero.
Te presentamos el modelo europeo.

FOTO

INFORMACIÓN PERSONAL
Nombre
Dirección
Teléfono
Correo electrónico
Nacionalidad
Fecha de nacimiento

EXPERIENCIA LABORAL
- Fechas (de - a)
- Nombre y dirección del empleador
- Tipo de empresa o sector
- Puestos o cargos ocupados
- Principales actividades y responsabilidades

EDUCACIÓN Y FORMACIÓN
- Fechas (de - a)
- Nombre y tipo de organización que ha impartido la educación o la formación
- Principales materias o capacidades ocupacionales tratadas
- Título de la cualificación obtenida

CAPACIDADES Y APTITUDES PERSONALES
Adquiridas a lo largo de la vida y la carrera educativa y profesional, pero no necesariamente avaladas por certificados y diplomas oficiales.

LENGUA MATERNA

OTROS IDIOMAS
- Lectura
- Escritura
- Expresión oral

CAPACIDADES Y APTITUDES SOCIALES
Vivir y trabajar con otras personas, en entornos multiculturales, en puestos donde la comunicación es importante y en situaciones donde el trabajo en equipo resulta esencial (por ejemplo, cultura y deportes), etc.

CAPACIDADES Y APTITUDES ORGANIZATIVAS
Por ejemplo, coordinación y administración de personas, proyectos, presupuestos; en el trabajo, en labores de voluntariado (por ejemplo, cultura y deportes), en el hogar, etc.

CAPACIDADES Y APTITUDES TÉCNICAS
Con ordenadores, tipos específicos de equipos, maquinaria, etc.

OTRAS CAPACIDADES Y APTITUDES
No nombradas anteriormente.

CAPACIDADES DE PRODUCTIVIDAD BAJO PRESIÓN

CAPACIDADES DE GESTIÓN DE EMPRESAS

CAPACIDADES DE TRATO CON GRANDES CUENTAS

PERMISO(S) DE CONDUCIR
B1, expedido en .... Disponibilidad para viajar.

INFORMACIÓN ADICIONAL
Pueden solicitarse referencias a los responsables de las empresas en las que se ha trabajado.
Formación complementaria.

Cultura hispánica

1 IMÁGENES SIGNIFICATIVAS. ¿Con qué países relacionas estas imágenes? ¿Sabes algo de ellos?

2 UN POCO DE HISTORIA.

a. En grupos, elige uno de los países y lee el texto. Después haz un resumen para contárselo a tus compañeros.

ARGENTINA

- *En 1516, Juan Díaz de Solís, conquistador, buscando una unión entre el océano Atlántico y el Pacífico, descubrió el Río de la Plata. Allí vio a indígenas con planchas de plata y de ahí, los nombres de Río de la Plata y Argentina.*
- *En 1535 se fundó la ciudad de Santa María del Buen Aire, actual Buenos Aires; y en 1537, la ciudad de Asunción.*
- *Durante las Guerras Napoleónicas, en 1806 y 1807, fuerzas militares británicas invadieron Buenos Aires pero fueron derrotadas. Fue el inicio del proceso de independencia de España. La Revolución de mayo de 1810 en Buenos Aires instaló el primer Gobierno formado en su mayoría por criollos en las Provincias Unidas del Río de la Plata. Es la independencia de Argentina, Paraguay y, por mediación de Artigas, Uruguay.*
- *En 1946 subió al poder el general Perón. Pronto, su mujer, Eva Perón, adquirió protagonismo. En 1952 murió «Evita», todo un símbolo en Argentina, y con ella se produjo la caída de Perón.*
- *En 1955 se produjo un levantamiento militar que derrocó a Perón y marcó el inicio de una de las dictaduras más crueles de América latina. Hasta 1989 se sucedieron golpes militares.*
- *En 1982 se produjo la Guerra de las Malvinas contra Gran Bretaña. La derrota del ejército argentino del general Videla provocó el fin de la terrible dictadura y el inicio de la democracia en 1989.*
- *En 2000 hubo una gran crisis económica en Argentina.*
- *Hoy la situación está mejor y la democracia está consolidada.*
- *Octubre 2007: por primera vez en la Historia de Argentina es presidenta una mujer: Cristina Fernández de Kirchner.*

ESPAÑA

- *La Península Ibérica fue poblada por tribus íberas en el Mediterráneo y por celtas, en las costas del noroeste.*
- *En el siglo III a. C. los romanos conquistaron todo el territorio y lo anexionaron al Imperio Romano.*
- *Tras la caída del Imperio Romano, la provincia romana fue invadida por los visigodos y, más tarde, en el 711, por los árabes. Empieza así la convivencia de tres culturas, la cristiana, la judía y la musulmana. También, a partir de este momento, empezó la Reconquista: luchas entre los cristianos y los musulmanes por controlar el país.*
- *En 1492 Isabel, reina de Castilla, y Fernando, rey de Aragón, se casaron, uniendo Castilla y Aragón. Conquistaron la última ciudad en manos de los árabes, Granada, y se anexionaron Navarra formando así la unión del país.*
- *En 1492 Colón llega a América. Se inicia el proceso de conquistas. Fue la época del Imperio Español.*
- *En el siglo XIX tras la invasión de Napoleón y la decadencia del país, se produjeron las independencias de los países de América.*
- *En 1931 se instauró la II República y en 1936 se produjo un levantamiento militar de una parte del ejército, opuesta a la política del Gobierno.*
- *Empezó la llamada Guerra Civil española en 1936, que duró hasta 1939.*
- *El general Franco, vencedor de la guerra, instauró en el país una dictadura de 1939 a 1975.*
- *Con la muerte del dictador Franco (1975), subió al poder el Rey Juan Carlos I y se inició el proceso de Transición que permitió el cambio de una dictadura a la democracia. Se instauró una monarquía parlamentaria y se aprobó la Constitución en 1978. El rey es el jefe del Estado español y cada cuatro años se celebran las elecciones generales en las que se elige al presidente del Gobierno.*
- *En 1986 España entró en la Unión Europea y en el 2002 el euro se convirtió en la moneda del país.*
- *Desde 1982 hasta 1996 fue presidente del Gobierno Felipe González (Partido Socialista); desde 1996 hasta 2004, José María Aznar (Partido Popular), y en 2004 José Luis Rodríguez Zapatero (Partido Socialista) ganó las elecciones generales.*

d

e

f

MÉXICO

→ *En 1370 se fundó la ciudad de Tenochtitlán por los aztecas. Estos fundaron un imperio que dominó a todas las poblaciones indígenas de la zona.*

→ *En 1519 los españoles llegaron a México. Hernán Cortés venció a los aztecas e inició la conquista y dominación de Nueva España.*

→ *De 1810 a 1821 se inició el proceso de independencia con fuertes luchas contra el Gobierno de España.*

→ *En 1847 se produjo una guerra contra EE. UU. y, tras la derrota, la pérdida de Texas, Nuevo México, Arizona y California.*

→ *En 1910 tuvo lugar la Revolución mexicana contra la oligarquía dominante.*

→ *En 1917 se promulgó la constitución mexicana actual.*

→ *En 1929 el PRI (Partido Revolucionario Institucional) ganó las elecciones. Se mantuvo en el poder durante 70 años.*

→ *1968 fue un año negro con la masacre de los estudiantes en la plaza de las Tres Culturas.*

→ *En 1994 se inició la revolución zapatista. Al mismo tiempo se firmó el tratado NAFSA de libre comercio con EE. UU. y Canadá.*

→ *En 1999 se produjo la derrota histórica de PRI y se inició un periodo de cambios en la sociedad mexicana.*

→ *Desde 2006 el presidente es Felipe Calderón Hinojosa, del Partido de Acción Nacional (PAN).*

b. Lee estas frases e indica a qué país pertenecen.

1. Se dividió en tres países.
2. Convivieron musulmanes, judíos y cristianos.
3. Perdió muchos territorios del norte del país.
4. Le dieron el nombre por su plata.
5. Fue uno de los primeros países en independizarse de España.
6. Fue gobernado por un partido durante 70 años.

c. ¿Con qué país asocias estos personajes? ¿Qué sabes de ellos?

	(bandera 1)	(bandera 2)	(bandera 3)
Solís	■	■	■
Hernán Cortés	■	■	■
Artigas	■	■	■
Franco	■	■	■
Evita Perón	■	■	■
Zapata	■	■	■
Juan Carlos I	■	■	■

3 PAUTAS HISTÓRICAS DE TU PAÍS.

Resume los datos más importantes de la historia de tu país. ¿Cuáles son sus personajes más importantes?

ENFOQUE arte

Sara Baras

BAILAORA

El baile

«No soy la típica flamenca porque no soy gitana, no voy maquillada, ni tengo el pelo negro, rizado, como lo que hemos convertido en típico. Y si mi físico no es el de una gitana muy flamenca, yo creo que mi corazón sí. Me encuentro más cómoda con un vestido sencillo. Considero que el movimiento y lo que uno siente es lo que verdaderamente importa».

Sara Baras disfruta bailando. Verla sobre el escenario y escucharla hablar lo demuestran. Su pasión, su entrega, su fuerza y, sobre todo, su sonrisa, no dejan lugar a dudas. Es la bailaora con más prestigio internacional del momento y tiene una intensa actividad con representaciones por todo el mundo. Nacida en Cádiz en 1971, comienza sus estudios artísticos en San Fernando (Cádiz) en la escuela de su madre, Concha Baras, con apenas 8 años de edad.

En 1998, Sara Baras debuta con su propia compañía compuesta por ella misma, 7 bailarinas y 7 músicos, con un espectáculo llamado «Sensaciones». En 1999 tiene lugar el estreno de «Sueños», otra coreografía del Ballet Flamenco Sara Baras.

En 1998 Sara presenta en TVE 2 «Algo más que flamenco».

En 2001, el Ballet Flamenco Sara Baras presenta «Juana la Loca (Vivir por amor)» y en 2002 «Mariana Pineda». En 2003 es Premio Nacional de Danza. En 2006 estrena «Sabores», espectáculo dedicado a su madre. Sara Baras ha vivido también el mundo de la moda y ha participado en alguna película.

1. ¿Qué representa la fotografía? Descríbela:
   - ¿Qué hay en la imagen en primer plano? ¿Y en segundo plano?
   - ¿Cómo es el vestido?
   - ¿Cómo son la postura y la expresión de la bailaora*?
2. ¿Qué sentimientos transmite la bailaora? ¿Qué te sugiere?
3. Lee el texto. ¿Cómo es Sara Baras en contraposición a la típica flamenca española?
4. ¿Qué es lo importante para Sara Baras en su forma de bailar?

* **bailaor(a):** nombre que se da a la persona que baila flamenco.

→ Busca información sobre Sara Baras en Internet, y amplía su biografía.

→ ¿Qué aporta de nuevo al flamenco? Busca información, escribe un texto y compártelo con el resto de la clase.

Ámbito Académico

Portfolio: evalúa tus conocimientos.

Nivel alcanzado

Insuficiente | Suficiente | Bueno | Muy bueno

Después de hacer el módulo 2

Fecha: ....

Comunicación

- Puedo relatar en pasado.
Escribe las expresiones:

* Si necesitas más ejercicios, ve al punto 1 del Laboratorio de Lengua.

- Puedo manejarme en una entrevista de trabajo.
Escribe las expresiones:

* Si necesitas más ejercicios, ve al punto 2 del Laboratorio de Lengua.

- Puedo describir una imagen.
Escribe las expresiones:

* Si necesitas más ejercicios, ve al punto 3 del Laboratorio de Lengua.

Gramática

- Sé usar los verbos en pretérito indefinido.
Escribe algunos ejemplos:

* Si necesitas más ejercicios, ve al punto 4 del Laboratorio de Lengua.

- Sé usar los marcadores temporales *antes de, después de, durante, en, de... a...* y *desde... hasta...*
Escribe algunos ejemplos:

* Si necesitas más ejercicios, ve al punto 5 del Laboratorio de Lengua.

- Sé utilizar *hace, desde hace* y *hace que*.
Escribe algunos ejemplos:

* Si necesitas más ejercicios, ve al punto 6 del Laboratorio de Lengua.

Vocabulario

- Conozco los verbos para hablar de la vida de una persona.
Escribe las palabras que recuerdas:

* Si necesitas más ejercicios, ve al punto 7 del Laboratorio de Lengua.

- Conozco los nombres de algunos títulos y profesiones.
Escribe las palabras que recuerdas:

* Si necesitas más ejercicios, ve al punto 8 del Laboratorio de Lengua.

LABORATORIO DE LENGUA

Comunicación

1. Relatar la vida de una persona.

a. Observa las imágenes de estos dos famosos personajes españoles y cuenta la historia.

2. En una entrevista de trabajo, hablando del currículum.

a. Escucha el diálogo y completa el currículum.

Nombre: Benjamín Casado Suárez

Títulos: ...., Formación Profesional de Segundo Grado.
Experiencia: Club deportivo de .... y Parques y jardines,
....
Idiomas: Conocimientos de inglés.

b. Imagina una conversación parecida de esta persona y escribe el diálogo.

Nombre: Amanda López Aguirre

Títulos: Licenciada en Económicas por la Universidad Alfonso X el Sabio.
Máster en Economía por la Universidad de Castilla-La Mancha.
Experiencia: No.
Idiomas: Inglés hablado y escrito, francés medio.

3. Describir una imagen.

a. Observa, escucha e identifica de qué cuadro habla.

b. Describe ahora el otro cuadro. El título es *El entierro del conde Orgaz* y su autor es el Greco.

Gramática

4. El pretérito indefinido.

a. Indica la persona de estos verbos.

1. Compré ....
2. Estuvimos ....
3. Volvisteis ....
4. Leíste ....
5. Fueron ....
6. Hicimos ....
7. Tuve ....
8. Bebí ....
9. Estuvieron ....
10. Fue ....

b. Relaciona las frases con el verbo *ser* o con el verbo *ir*.

1. Este año fui de vacaciones a la playa.
2. Mi abuelo fue profesor.
3. Antigua fue la capital de Guatemala.
4. Guillermo fue de paseo por el bosque.

SER

IR

5. ¿Fuiste a la fiesta de Celia?
6. César fue estudiante de esta universidad.
7. No fuimos con ellos.
8. La película fue muy divertida.

Poder	Pud-	
Saber	Sup-	
Tener	Tuv-	-e
Poner	Pus-	-iste
Estar	Estuv-	-o -imos
Andar	Anduv-	-isteis
Querer	Quis-	-ieron
Venir	Vin-	
Hacer	Hic-/Hiz-	

c. Observa estos verbos irregulares y completa el cuadro.

	PODER	HACER	TENER	ANDAR	QUERER
Yo					
Tú					
Usted, él, ella					
Nosotros/as					
Vosotros/as					
Uds., ellos/as					

d. 22 hispanos son Premio Nobel por el trabajo realizado durante toda su vida. Estos son algunos. Lee las descripciones e identifica qué Premio Nobel recibieron (de Medicina, Literatura, Paz o Química). Después completa con uno de estos verbos en la forma adecuada.

→ ayudar
→ descubrir
→ diseñar
→ escribir
→ investigar
→ luchar

Santiago Ramón y Cajal (español) Premio Nobel de ...., 1906.
.... el sistema nervioso.

Carlos Saavedra Lamas (argentino) Premio Nobel de la ...., 1936.
.... a solucionar la Guerra del Chaco.

Severo Ochoa (español) Premio Nobel de ...., 1959.
.... sobre el ADN.

Miguel Ángel Asturias (guatemalteco) Premio Nobel de ...., 1967.
.... novelas de temática indígena.

Luis Federico Leloir (argentino) Premio Nobel de ...., 1970.
.... los nucleótidos y la biosíntesis.

Alfonso García Robles (mexicano) Premio Nobel de la ...., 1982.
.... a la abolición de las armas nucleares en Latinoamérica.

Gabriel García Márquez (colombiano) Premio Nobel de ...., 1982.
.... novelas y cuentos realistas y mágicos.

Óscar Arias Sánchez (costarricense) Premio Nobel de la ...., 1987.
.... el plan de paz para Centroamérica.

Camilo José Cela (español) Premio Nobel de ...., 1989.
.... novelas sociales y humanas.

Octavio Paz (mexicano) Premio Nobel de ...., 1990.
.... poesía universal.

Rigoberta Menchú Tum (guatemalteca) Premio Nobel de la ...., 1992.
.... por los derechos de los indígenas.

Mario José Molina Henríquez (mexicano) Premio Nobel de ...., 1995.
.... sobre la atmósfera y el ozono.

5. Antes de, después de, durante, en, y desde – hasta.
Une las frases en una sola oración.

1. Empecé a estudiar español en 2006. En 2002 estudié inglés. ....
2. Me licencié en 1999. Ese año encontré mi primer trabajo. ....
3. Conocí a Asunción en 1985. Nos casamos en 1996. ....
4. 1987 – 2004. Viví en Barcelona. ....
5. Infancia y adolescencia. Estudié en Valencia. ....
6. Octubre de 2003. Viajé por toda Hispanoamérica. ....

6. Hace, desde hace y hace que.
Transforma las frases utilizando una de las tres expresiones.

1. Vive en España desde 1999. ....
2. Hizo estudios técnicos en 2005. ....
3. Están casados. Se casaron en 1998. ....
4. Estudio español desde 2006. ....
5. Se licenció en 1989. ....
6. Trabaja en esta empresa desde 2004. ....

Vocabulario

7. Las acciones de una persona.
22 **Observa las imágenes, escucha y marca aquellas de las que habla.**

1. ☐ 2. ☐

3. ☐ 4. ☐

5. ☐ 6. ☐

8. Los títulos.
Relaciona.

1. Educación obligatoria hasta los 16 años.
2. Formación profesional.
3. Estudios en el instituto, de 16 a 18 años.
4. Estudios especializados de formación profesional superior.
5. Estudios universitarios, de cinco años.
6. Estudios postuniversitarios de especialización.
7. Estudios postuniversitarios científicos, tres años más de universidad.

a. Bachiller.
b. Doctor.
c. Graduado Escolar.
d. Licenciado.
e. Máster.
f. Técnico en...
g. Técnico superior.

Módulo 3

Ámbito Personal

Describes la ropa para identificar a una persona.

- **Competencia léxica:** la ropa y los colores.
- **Competencia fonética y ortográfica:** la pronunciación de los grupos *br, bl* y *bs*.
- **Competencia gramatical:** las oraciones relativas y los verbos de emoción y gusto.
- **Competencia sociolingüística:** hacer un cumplido (2) y expresar modestia.
- **Competencia funcional:** elegir una prenda.

Ámbito Público

Compras ropa por Internet.

- **Competencia funcional:** comprar ropa en una tienda.
- **Competencia sociolingüística:** en los comercios.
- **Competencia léxica:** la ropa y los materiales.
- **Competencia fonética y ortográfica:** la pronunciación de los grupos *tr* y *dr*.
- **Competencia gramatical:** los pronombres personales de objeto directo e indirecto.

Ámbito Profesional

Haces una reclamación.

- **Competencia gramatical:** el pretérito perfecto.
- **Competencia léxica:** los motivos de una reclamación.
- **Competencia funcional:** reclamar.
- **Competencia sociolingüística:** ser amable.
- **Competencia fonética y ortográfica:** la pronunciación de los grupos *pr* y *pl*.

Cultura hispánica

La moda en España.

- Las normas de vestir en España.
- La combinación de colores.
- Algunos diseñadores españoles.

Enfoque arte

Diseño de moda: F. Montesinos, *novia de negro*.

Ámbito Académico

Portfolio: evalúa tus conocimientos.
Laboratorio de Lengua: refuerza tu aprendizaje.

describir la ropa

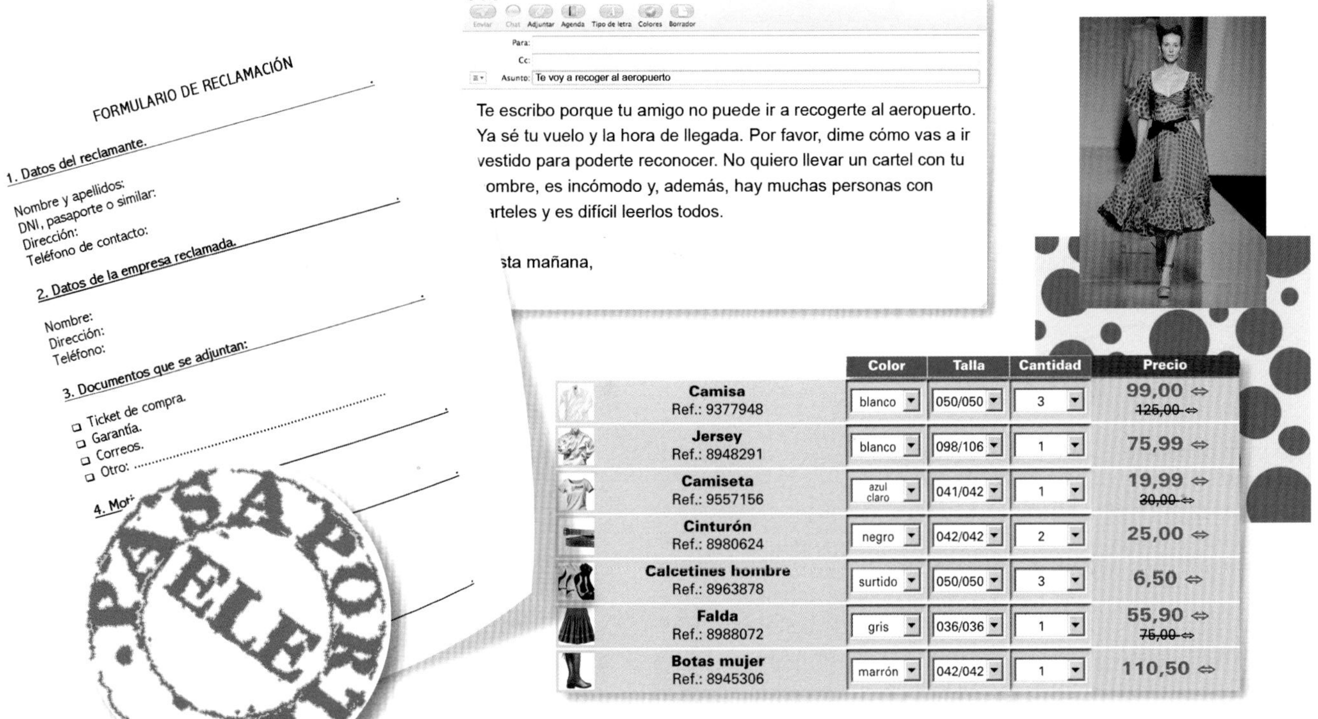

FORMULARIO DE RECLAMACIÓN

1. Datos del reclamante.

Nombre y apellidos:
DNI, pasaporte o similar:
Dirección:
Teléfono de contacto:

2. Datos de la empresa reclamada.

Nombre:
Dirección:
Teléfono:

3. Documentos que se adjuntan:

- ❑ Ticket de compra.
- ❑ Garantía.
- ❑ Correos.
- ❑ Otro:

4. Mot

Enviar Chat Adjuntar Agenda Tipo de letra Colores Borrador

Para:
Cc:
Asunto: Te voy a recoger al aeropuerto

Te escribo porque tu amigo no puede ir a recogerte al aeropuerto. Ya sé tu vuelo y la hora de llegada. Por favor, dime cómo vas a ir vestido para poderte reconocer. No quiero llevar un cartel con tu ombre, es incómodo y, además, hay muchas personas con rteles y es difícil leerlos todos.

sta mañana,

	Color	Talla	Cantidad	Precio
Camisa Ref.: 9377948	blanco	050/050	3	99,00 ~~125,00~~
Jersey Ref.: 8948291	blanco	098/106	1	75,99
Camiseta Ref.: 9557156	azul claro	041/042	1	19,99 ~~30,00~~
Cinturón Ref.: 8980624	negro	042/042	2	25,00
Calcetines hombre Ref.: 8963878	surtido	050/050	3	6,50
Falda Ref.: 8988072	gris	036/036	1	55,90 ~~75,00~~
Botas mujer Ref.: 8945306	marrón	042/042	1	110,50

Ámbito Personal

Acción **Describes la ropa para identificar a una persona.**

Vamos a aprender a:
describir la ropa.

a. Mira estas imágenes. ¿Qué estilo prefieres?

b. Dale un adjetivo a cada estilo.

c. Tú eliges la ropa por:
- ☐ estar a la moda.
- ☐ ser cómoda.
- ☐ tus gustos.
- ☐ ser bonita.
- ☐ el precio.

- elegante
- feo
- deportivo
- formal
- clásico
- informal
- bonito
- moderno

1 Competencia léxica: la ropa y los colores.

De colores.

a. Escucha y pon en orden los colores. Después escríbelos.

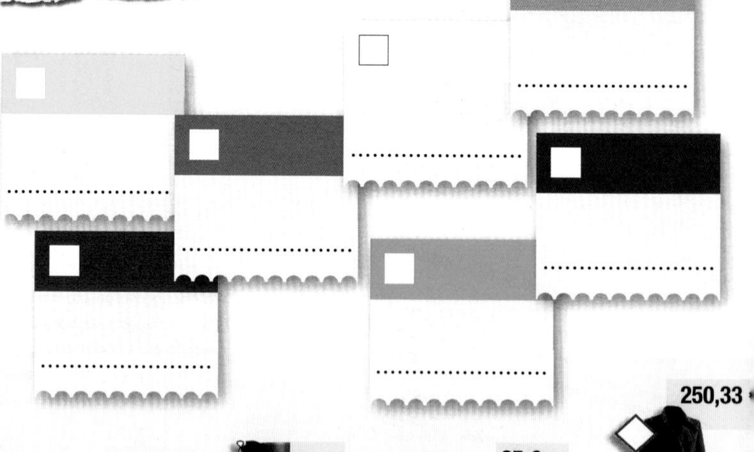

Compra ropa por catálogo.

b. Observa estas imágenes de ropa y relaciona cada prenda con su nombre.

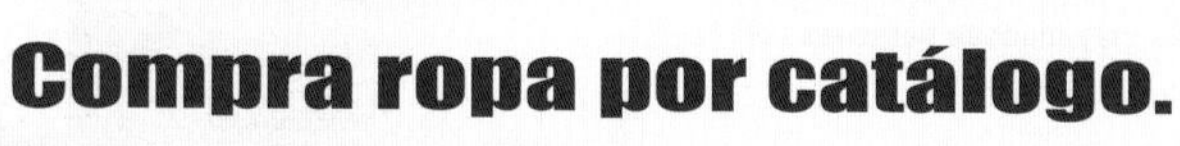

Ofertas

1. El traje para caballero ....300 €
2. La camiseta ....15 €
3. Las zapatillas deportivas ...45 €
4. Los pantalones ....60 €
5. El sombrero ....72,99 €
6. La blusa ....40 €
7. La camisa ....35 €
8. Los calcetines ....8,49 €
9. La corbata ....40 €
10. El abrigo ....250,33 €
11. El cinturón ....25 €
12. La falda ....45 €
13. El vestido ....70 €
14. El jersey ....55 €
15. Los zapatos de caballero ...95 €
16. Los zapatos de señora .....70 €
17. Las botas de señora ....120 €
18. El pijama ....35 €

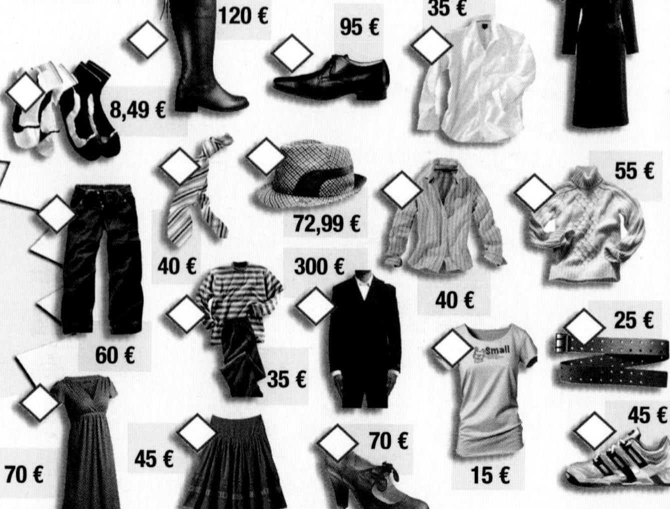

¿Te gusta esta camisa?

24

c. Escucha esta conversación y marca la ropa que van a comprar entre las imágenes anteriores.

Hago un pedido.

d. Esta es la hoja de pedido, pero hay errores en los colores y las cantidades. Señálalos y corrige la hoja.

	Color	Talla	Cantidad	Precio unidad
Abrigo para mujer Ref.: 9377948	Negro	050/050	1	250,33 €
Camisa Ref.: 8948291	Cuadros	041/042	3	35,00 €
Jersey Ref.: 9557156	Marrón	098/106	1	55,00 €
Zapatos Ref.: 8980624	Negro	042/042	1	95,00 €
Calcetines hombre Ref.: 8963878	Surtido	044/046	2	8,49 €
Falda Ref.: 8988072	Negro	036/036	2	45,00 €
Pijama Ref.: 8945306	Gris Jasp./Azul	098/106	1	35,00 €

Es una camisa muy bonita.

e. Relaciona la prenda con el adjetivo según el diálogo.

1. el abrigo
2. las camisas
3. los jerséis
4. el pijama
5. los calcetines
6. la falda
7. los zapatos

a. baratos
b. buenos
c. clásico
d. cómodos
e. feo
f. informal
g. preciosas

Vestir en cada situación.

f. Elige una situación y una prenda. Describe la prenda, tus compañeros tienen que adivinar adónde vas.

1. Tienes una entrevista de trabajo.
2. Vas de vacaciones a la playa.
3. Vas de excursión a la montaña.
4. Tienes una fiesta (una boda de un/a amigo/a, una cena en casa de tu jefe/a...).
5. Vas con amigos a tomar algo a un bar.
6. Hoy te presentan a los padres de tu novio/a.

2 Competencia fonética y ortográfica: la pronunciación de los grupos br, bl y bs.

Un sombrero blanco.

25

a. Escucha y completa las palabras con *bl, br* o *bs.*

1. ama_ _e	4. hom_ _e	7. bi_ _ioteca
2. impermea_ _e	5. a_ _orber	8. li_ _e
3. a_ _igo	6. o_ _esión	9. a_ _urdo

Ahora tú.

b. Lee estas palabras.

1. ta**bl**a	6. **bl**usa	11. li**br**o
2. terri**bl**e	7. a**br**ir	12. fa**br**icar
3. pu**bl**icidad	8. pronom**br**e	13. a**bs**uelto
4. responsa**bl**e	9. diciem**br**e	14. a**bs**urdo
5. do**bl**e	10. cele**br**ar	15. o**bs**ervar

3 Competencia gramatical: las oraciones relativas y los verbos de emoción y gusto.

Quiero comprarme el abrigo que está de rebajas.

a. Observa el cuadro. Y forma las frases.

Quiero comprarme un <u>abrigo</u>.
Este <u>abrigo</u> está rebajado.
Quiero comprarme este abrigo que está rebajado.

Oraciones de relativo

Hay un / una... que ...
Tengo un / una... que ...
He visto un / una... que...

1. En el catálogo hay una camisa. Me gusta mucho esa camisa.
2. Hay unos pantalones. Creo que le pueden gustar los pantalones a Lucas.
3. Mira este abrigo. El abrigo es muy moderno. El abrigo es negro.
4. La ropa de este catálogo es de muy buena calidad. La ropa tiene muy buenos precios.

A mí me gusta muchísimo, me encanta.

b. Lee estos textos. ¿Con quién estás más de acuerdo? Observa los cuadros y da tu opinión.

Encantar y molestar

A mí	me		
A ti	te	encanta(n)	
A él, ella, usted	le	molesta(n) + (adverbio de cantidad)	sustantivo singular
A nosotros, nosotras	nos	*Me encantan estos pantalones.*	sustantivo plural
A vosotros, vosotras	os	*Me molesta la gente mal vestida.*	infinitivo
A ellos, ellas, ustedes	les		

Parecer

A mí		me		
A ti	sustantivo singular	te		
A él, ella, usted	sustantivo plural	le	parece	adjetivo o adverbio
A nosotros, nosotras	infinitivo	nos	parecen	
A vosotros, vosotras	*A mí, estos zapatos me parecen bonitos.*	os		
A ellos, ellas, ustedes		les		

Mucho/bastante/poco

\+ me gusta(n) muchísimo
me gusta(n) mucho
me gusta(n) bastante
me gusta(n)
me gusta(n) un poco
me gusta(n) poco
no me gusta(n) mucho
no me gusta(n)
– no me gusta(n) nada

Y a ti, ¿qué te interesa?

c. Lee la lista y elige dos cosas que te encantan, dos cosas que te interesan y dos cosas que no te interesan nada. Explica por qué.

La actualidad
La moda internacional
Ir de compras
Leer revistas deportivas

Ver programas en TV sobre famosos
La marca de la ropa
El diseño
El precio

4 Competencia sociolingüística: hacer un cumplido (2) y expresar modestia.

Llevas una camisa preciosa.

a. Escucha e indica a qué situación corresponde cada diálogo.

a. ☐

b. ☐

c. ☐

¿De verdad te gusta?

b. Escucha otra vez y marca qué reacciones oyes.

- ☐ Sí, gracias, es muy bonita.
- ☐ ¿Sí? Pues es muy vieja.
- ☐ Sí, a mí también me gusta.
- ☐ Sí, es que me costó mucho dinero.
- ☐ Pues es de las rebajas.
- ☐ ¿De verdad te gusta? Es un regalo.

Somos así.

c. Lee e infórmate. ¿Es igual en tu cultura?

A los españoles nos gusta hacer cumplidos, hablar de las cosas positivas de otros. Sin embargo, culturalmente, no podemos aceptar un cumplido, tenemos que quitarle importancia. Si alguien dice que le gusta algo que llevamos (un jersey, un pantalón, un vestido), respondemos con «¿Sí?, ¿de verdad?» o diciendo que la prenda no es muy buena (aunque nos gusta mucho): «Pues es de las rebajas» o «Es muy viejo/a» o «Es un regalo».

¡Pues es de las rebajas!

d. Lee las frases de estos diálogos y ordénalas.

Hacer cumplidos y recibirlos es un acto de comunicación bien definido. Es importante saber que si contestamos positivamente al cumplido, podemos parecer pedantes o creídos:
- *¡Qué guapa estás!*
- *Muchas gracias, me lo dice todo el mundo.*

Diálogo 1

☐ Pues parece muy moderna, me encanta.
☐ ¿Sí? Pues tiene ya muchos años.
☐ ¿De verdad? Es que me miras con buenos ojos.
☐ Llevas una blusa muy bonita.

Diálogo 2

☐ Ay, qué amable eres. Tú también estás muy guapa.
☐ Pero si últimamente me veo feísima.
☐ ¡Qué dices! Estás estupenda.
☐ ¡Qué guapa estás!

Escribe las frases en el lugar correspondiente.

1. Hacer un cumplido: ....
2. Quitar importancia al cumplido: ....
3. Insistir en el cumplido: ....
4. Aceptarlo con humildad y/o haciendo otro cumplido al interlocutor: ....

Actúa como un español.

e. Di un cumplido a alguien de la clase. A ti también te van a decir cumplidos; quítales importancia.

5 Competencia funcional: elegir una prenda.

Sobre gustos no hay nada escrito.

a. Escucha este diálogo y marca qué prenda eligen. Después anota por qué.

1. ☐ 2. ☐ 3. ☐

Preguntar por las preferencias.

b. Formula preguntas acerca de...

El color favorito.
Un estilo moderno o clásico.
Los pantalones largos o cortos.
Un jersey o una chaqueta.
Con corbata o sin corbata.

Qué / cuál

Preguntar por cosas de diferente tipo	¿Qué + verbo? *¿Qué prefieres, té o café?*
Preguntar por cosas del mismo tipo	¿Qué + objeto? *¿Qué zapatos te gustan más?* ¿Cuál + verbo? *¿Cuál te gusta más, este o ese?*

Y tú, ¿cuál prefieres?

c. Observa las imágenes y elige la que más te gusta. Escribe por qué. Después busca en la clase alguien que tiene tus mismos gustos.

Describes la ropa para identificar a una persona.

Si viajas a algunos lugares para encontrarte con alguien desconocido, tendrás que describir tu ropa para que te identifique. Elige uno de estos tres correos electrónicos y contesta.

a

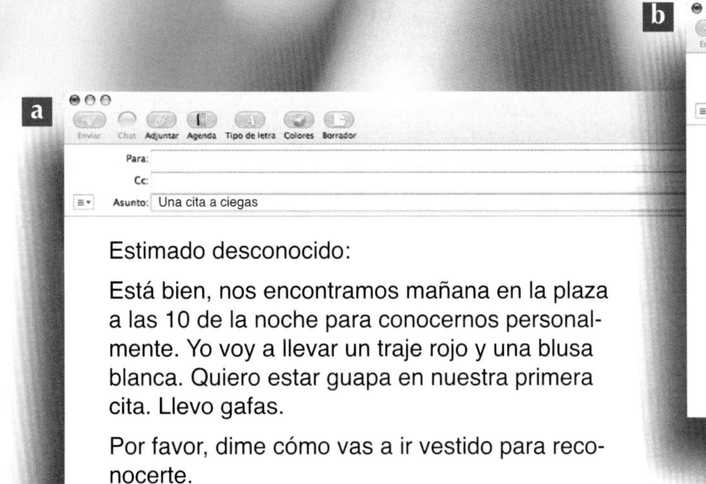

Estimado desconocido:

Está bien, nos encontramos mañana en la plaza a las 10 de la noche para conocernos personalmente. Yo voy a llevar un traje rojo y una blusa blanca. Quiero estar guapa en nuestra primera cita. Llevo gafas.

Por favor, dime cómo vas a ir vestido para reconocerte.

Para:
Cc:
Asunto: Re: Una cita a ciegas

b

Para:
Cc:
Asunto: Te voy a recoger al aeropuerto

Te escribo porque tu amigo no puede ir a recogerte al aeropuerto. Ya sé tu vuelo y la hora de llegada. Por favor, dime cómo vas a ir vestido para poderte reconocer. No quiero llevar un cartel con tu nombre, es incómodo y, además, hay muchas personas con carteles y es difícil leerlos todos.

Hasta mañana,

c

Para:
Cc:
Asunto: Nos vamos de fiesta

Mañana es la fiesta de cumpleaños de Marta. Va a ser una fiesta muy divertida. Vamos a ir todos. Eso sí, es una fiesta elegante. Como tú y yo vamos de pareja, quiero saber cómo vas a ir vestido para buscarme yo una ropa que vaya bien. Ah, y ponte guapo.

Un beso,

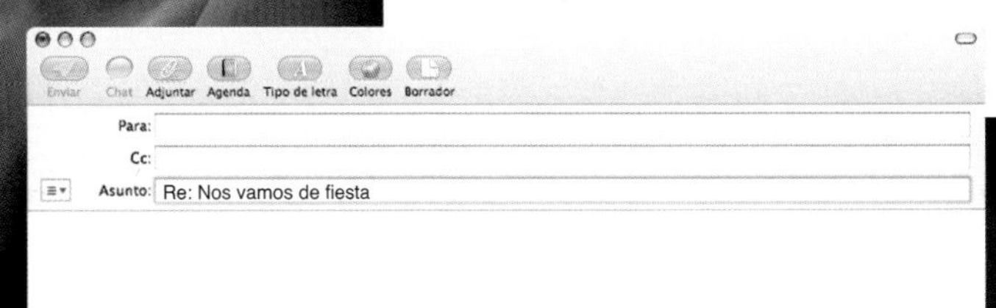

Ámbito Público

Acción Compras ropa por Internet.

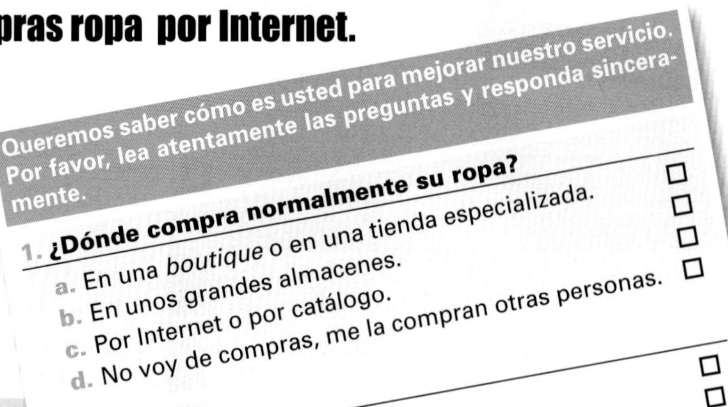

Vamos a aprender a:
comprar ropa y a describir lo que queremos.

Lee este cuestionario de una importante empresa de moda y responde a estas preguntas.

Queremos saber cómo es usted para mejorar nuestro servicio. Por favor, lea atentamente las preguntas y responda sinceramente.

1. ¿Dónde compra normalmente su ropa?
- a. En una *boutique* o en una tienda especializada. ☐
- b. En unos grandes almacenes. ☐
- c. Por Internet o por catálogo. ☐
- d. No voy de compras, me la compran otras personas. ☐

2. ¿Por qué?
- a. Porque es más personal. ☐
- b. Porque es más barato. ☐
- c. Porque es más cómodo. ☐
- d. Porque no me gusta ir de compras. ☐

3. ¿Le aconseja alguien?
- a. Sí, un profesional, porque sabe más que yo. ☐
- b. Sí, amigos o familiares, conocen bien mis gustos. ☐
- c. No, nunca, yo sé lo que quiero. ☐
- d. A veces, cuando no sé muy bien lo que necesito. ☐

4. ¿Le interesa la moda?
- a. Sí, porque soy muy moderno. ☐
- b. Un poco, como a casi todo el mundo, pero no mucho. ☐
- c. Nada. Yo tengo mi propio estilo y siempre compro en la misma tienda de mi barrio. ☐
- d. No sé. ☐

1 Competencia funcional: comprar ropa en una tienda.

Quería una camisa.

a. Paco está comprando en una tienda. Escucha el diálogo y marca qué camisa compra. (28)

1. ☐

2. ☐

3. ☐

En la tienda.

b. Relaciona las expresiones.

1. ¿Puedo ayudarle?	a. De la 42 / De la M.
2. ¿Cómo la quiere?	b. Lisa / estampada / de cuadros / de rayas...
3. ¿De qué talla?	c. Muy bien, me la llevo.
4. ¿Qué tal le queda?	d. No, prefiero una más moderna / clásica...
5. ¿Le gusta esta?	e. Sí, ahí están los probadores.
6. ¿Puedo probármela?	f. Sí, quería un/a...
7. ¿Cuánto cuesta?	g. Son... euros.

2 Competencia sociolingüística: en los comercios.

Un cliente y un dependiente.

a. Lee estos diálogos y fíjate cómo se dice. Después, completa el cuadro.

Hola, buenos días.

Buenos días. ¿En qué puedo ayudarlo?

Quería unos zapatos. ¿Tienen zapatos de vestir?

Sí, claro. En la planta segunda.

¡Perdone!

¿Sí?

¿Tienen ropa de bebés?

Quería unos calcetines.

Sí. Mire, tenemos estos de nailon. Son muy buenos.

Ya, pero yo los quería de algodón.

Se dice para:	
Llamar la atención	....
Preguntar por algo	....
Pedir algo	....
Atender a un cliente	....

Yo quería...

b. Lee e infórmate. ¿Hay formas parecidas en tu lengua?

En español es muy fuerte la expresión «quiero + un objeto». Por eso, normalmente en una tienda, para ser cortés, se utiliza la forma «quería + objeto», en un bar «objeto, por favor» y en un restaurante «para mí + plato» o «de primero/segundo/postre + plato».

Ahora tú.

c. Siguiendo el modelo anterior, elige una ropa y simula un diálogo en una tienda.

Manejarse en una tienda	
Pedir algo	Quería un/a...
Hablar del estilo	Lo / La quiero moderno / clásico / de rayas...
Preguntar por el color	¿De qué color?
Preguntar por el precio	¿Cuánto cuesta / vale?
Probarse una ropa	¿Puedo probármelo/a?

3 Competencia léxica: la ropa y los materiales.

Leer una etiqueta.

a. Lee estas etiquetas. ¿Con qué prenda las asocias?

Ahora contesta a las preguntas.

1. Di tres objetos de cuero. ....
2. Di cosas que no pueden ser de lana. ....
3. Di algo que tú llevas hoy y es de algodón. ....
4. ¿Tienes algo de ropa de seda? ....

¿De lana o de algodón?

b. ¿Qué compran? Escucha y relaciona las prendas con el material.

1. Una camisa	a. de cuero
2. Una chaqueta	b. de nailon
3. Unos zapatos	c. de algodón
4. Una blusa	d. de plástico
5. Un jersey	e. de seda
6. Una camiseta	f. de lana

Dibujos

liso/a
de cuadros
de lunares
de rayas
estampado/a

¿Estampado o de lunares?

c. Escribe debajo del dibujo el nombre del diseño.

¿Quién lo lleva?

d. Describe una prenda que lleva alguien en la clase. Tus compañeros adivinan qué es.

4 Competencia fonética y ortográfica: la pronunciación de los grupos tr y dr.

Un traje de cuadros.

a. Escucha y completa con *t* o con *d*.

1. en...rada
2. cua...ro
3. ...raje
4. pa...re
5. ilus...ración
6. Ma...rid
7. es...recho
8. Ro...ríguez
9. pos...re
10. indus...ria
11. ma...re
12. ex...ranjero

La regla.

b. Completa la regla.

Después de *t* o *d* solo puede ir una vocal o una ...., nunca va una *ele*, excepto «Atlántico» y «Atlas». Si tenemos el grupo *dr* o *tr* en una palabra, este se pronuncia en ☐ una / ☐ dos sílabas.

5 Competencia gramatical: los pronombres personales de objeto directo e indirecto.

No te repitas.

a. Observa los diálogos, marca los pronombres y subraya en el cuadro dónde se colocan: delante o detrás.

Quería comer una paella.

¿Quieres comerla en este restaurante?

Quería unos zapatos.

¿Cómo los quiere?

¿Le gustan estas sandalias?

¿No las tiene de cuero? De plástico no me gustan.

El pronombre de objeto directo

El pronombre personal de objeto directo se coloca *delante/detrás* del verbo conjugado.

El pronombre personal de objeto directo se coloca *delante/detrás* del verbo en infinitivo.

Subraya las palabras que se repiten y sustituye la segunda por un pronombre.

1. Quería una camisa. Necesito una camisa de algodón. *La necesito de algodón.*
2. Quiero comprar unos pantalones. Quiero unos pantalones negros. ....
3. Son unas corbatas muy bonitas. Pero prefiero las corbatas más modernas. ....
4. Busco unos calcetines y en esta tienda tienen calcetines de oferta. ....
5. A Elena le voy a comprar un abrigo. Necesita un abrigo para el invierno. ....

¿Puedo probármelo?

b. Observa.

Objeto directo e indirecto

Directo:	*Compro **flores.***	***Las** compro.*
Indirecto:	*Compro flores **a María.***	***Le** compro flores.*
Directo e indirecto:	*Compro **flores a María.***	***Se las** compro.*

Pronombres personales	Objeto directo	Objeto indirecto
Yo	**Me**	**Me**
Tú	**Te**	**Te**
Él, usted	**Lo**	**Le > Se**
Ella, usted	**La**	
Nosotros, nosotras	**Nos**	**Nos**
Vosotros, vosotras	**Os**	**Os**
Ellos, ustedes	**Los**	**Le > Se**
Ellas, ustedes	**Las**	

Cuando el indirecto viene seguido de un directo, *le* se cambia a *se*.

Cuando el indirecto viene seguido de un directo, *les* se cambia a *se*.

¿Lo has entendido bien?

c. Identifica a qué se refieren las frases y para quién es.

1. Se los compro, son muy baratos.	a. a mí	I. El reloj
2. Me la regala mi novio.	b. a ti	II. La blusa
3. Te lo voy a comprar.	c. para Alberto	III. Los calcetines
4. Nos las venden.	d. a nosotros	IV. Las sandalias

Descubre la regla.

d. Completa la regla.

Los pronombres van .... del verbo conjugado. Primero va el pronombre de objeto .... y después el de objeto .... Si el pronombre es *le* o *les* y va con un pronombre de objeto directo *lo, la, los* o *las,* cambia a ....

Aplica la regla.

e. Completa con los pronombres adecuados.

1. Estos pantalones me gustan mucho. .... voy a comprar.
2. Te quedan bien estas camisas. ¿............. .... llevas?
3. A Juan le gustan mucho las corbatas. Estas corbatas son muy bonitas. ¿............. .... compramos?
4. Mi hermano quiere ropa deportiva y yo .... compro.
5. ¿Te gusta mi abrigo? Pues .... regalo. Yo no me lo pongo nunca.
6. Me encanta tu camisa. ¿ .... dejas para la fiesta de mañana?
7. Este paquete es para Elena. ¿ .... das, por favor?
8. Queremos comprarnos esos zapatos, pero ahora no tenemos dinero. ¿............. .... compras tú y mañana te los pagamos?

Compras ropa por Internet.

Quizás vas a necesitar comprar ropa. Aquí tienes un catálogo de ropa por Internet. Con tu compañero elige una de las siguientes situaciones, escoge la ropa que más te gusta y haz tu pedido. ¿Cuánto te va a costar?

1. Un/a amigo/a te va a presentar a sus padres. No es un acto social, evidentemente, pero quieres ir bien.
2. Tienes próximamente una fiesta formal (una boda, un acto social). Debes ir bien vestido/a.
3. Un/a compañero/a de trabajo te invita a una barbacoa en el jardín de su casa el sábado.

Mujer	Hombre	Niño	Bebé
☐ Blusa blanca 30 €	☐ Chaqueta 25 €	☐ Camiseta manga larga 22 €	☐ Falda gris 38 €
☐ Vestido estampado 45 €	☐ Vestido negro 50 €	☐ Pantalones 39 €	☐ Vaqueros 41 €

	Color	Talla	Precio

Mujer	Hombre	Niño	Bebé
☐ Camisa blanca 36 €	☐ Camisa informal 43 €	☐ Camiseta manga larga 28 €	☐ Jersey 44 €
☐ Traje hombre 140 €	☐ Pantalones 42 €	☐ Pantalones informales 35 €	☐ Vaqueros 46 €

Ámbito Profesional

Acción Haces una reclamación.

Vamos a aprender a:
presentar una reclamación.

Lee este texto y relaciona las reclamaciones con la información que sigue.

LA TELEFONÍA SIGUE A LA CABEZA EN LAS RECLAMACIONES DE LOS CONSUMIDORES

La telefonía fue el sector con más quejas del año, con el 42%, principalmente por bajas y altas no aceptadas. En segundo lugar están las reclamaciones relativas al transporte aéreo, con un 9% del total, por retrasos o por el *overbooking*, superando a otros sectores hasta ahora más conflictivos. En tercer lugar de las reclamaciones están las ventas a distancia, con un 7%, seguidas de los seguros con el 6,67%, y los electrodomésticos y electrónica con el 5,55%. Los motivos principales son el incumplimiento de las garantías, las ventas especiales y los aparatos.

1. Construcciones y reformas GDM ha instalado unos ordenadores y no funcionan bien.
2. Don Augusto Figueras no ha podido volar a Barcelona porque el avión está completo.
3. Jardinería rápida, S.A. ha reclamado que su compañía de seguros no quiere indemnizar a un empleado accidentado.
4. Consulting, S.L. ha presentado una reclamación contra su antigua empresa de móviles por no querer darle de baja en el servicio.
5. La cadena de bares *Aperitivos y tapas* ha reclamado por el mal estado de la ropa de trabajo comprada por Internet.

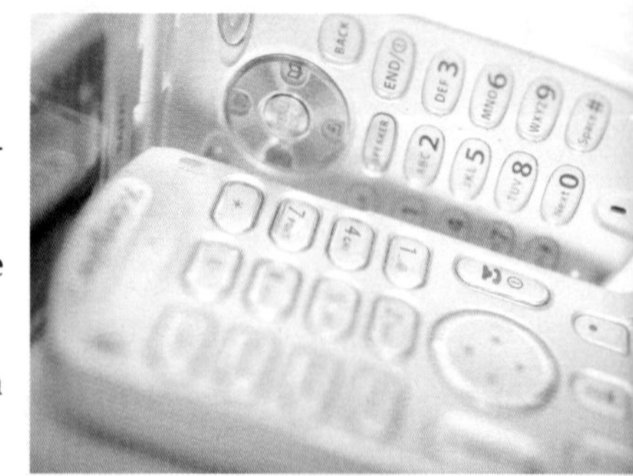

1 Competencia gramatical: el pretérito perfecto.

La forma del perfecto.

a. Lee estas frases y relaciónalas con los casos anteriores. Marca en estas frases este nuevo tiempo del pasado. Después completa el cuadro.

a. Mi secretaria ha comprado este billete de avión para ir a Barcelona a una reunión y no he podido volar. El avión está completo. ☐

b. En mi empresa han instalado unos ordenadores y no funcionan bien. Hemos reclamado y dicen que no tienen garantía. ☐

c. En mi empresa hemos decidido cambiar de compañía de telefonía móvil y la antigua no nos ha aceptado la baja. ☐

d. Hemos comprado ropa de trabajo por correspondencia y, al recibirla, hemos visto que está en mal estado. ☐

e. Mi jefa ha contratado un seguro de accidentes, he tenido un accidente y la compañía dice que su seguro no lo cubre. ☐

Haber		
Yo	....	
Tú	*has*	
Usted, él, ella	....	+ ...-*ado*
Nosotros/as	....	
Vosotros/as	*habéis*	+ ...-*ido*
Ustedes, ellos/-as	*han*	

Haciendo una reclamación.

b. Escucha el diálogo y responde a las preguntas.

1. ¿Qué ha comprado? ....
2. ¿Qué problema ha tenido? ....
3. ¿Qué tiene que hacer? ....

Los tiempos del pasado.

c. Lee ahora el diálogo, marca los verbos en pasado y completa la tabla.

- Buenos días, ¿qué desean?
- Vengo a poner una reclamación. Estos móviles no funcionan.
- ¿Qué ocurre?
- Mire, en mi empresa viajamos mucho al extranjero y la semana pasada compramos estos móviles para hacer llamadas desde distintos países. Y resulta que esta semana no hemos podido hacer ninguna.
- ¿Desde qué países quieren llamar?
- Pues desde Italia y Brasil. La semana pasada llamé desde Italia a mi oficina y sin problemas. Pero esta semana hemos intentado hablar desde Brasil y ha sido imposible. No puede ser. Los compramos precisamente para llamar desde estos países.
- Sí, sí, pero el problema es que no tienen cobertura para fuera de Europa.
- Pero ustedes nos dijeron que es para llamadas internacionales.
- Sí, pero no para otro continente, no son tribanda. Si quieren, se los puedo cambiar por otros, pero tienen que pagar la diferencia.

Ocurrió la semana pasada	Ha sido esta semana

Contraste de pasados.

d. Observa el cuadro. Después relaciona las frases.

Con el indefinido	Con el perfecto
El otro día	Hoy
Anteayer	Esta mañana
Ayer	Esta semana
En 199...	
	Nunca
En diciembre	Una vez (no sabemos o no importa cuándo)
Hace... (unos años, dos meses...)	Muchas veces

1. El otro día
2. En 199...
3. Ayer
4. Hoy
5. Esta mañana
6. En diciembre

a. Me he levantado pronto.
b. He venido a clase.
c. Fui al cine.
d. Nací.
e. Estuve celebrando la Navidad con mi familia.
f. Me levanté tarde.

Y tú, ¿qué has hecho esta semana?

e. Habla con tu compañero y completa este *planning* con sus actividades.

lunes	martes	miércoles	jueves	viernes	sábado	domingo

2 Competencia léxica: los motivos de una reclamación.

¿Qué ha pasado?

a. Relaciona las imágenes con los nombres y con el problema.

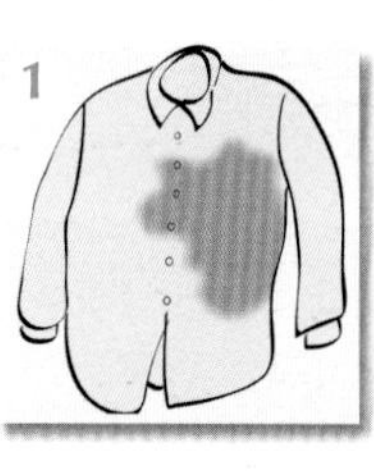

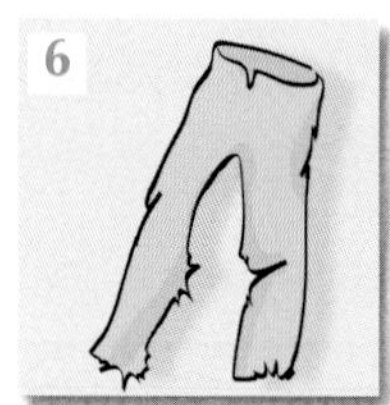

a. un bolígrafo	I. Me los he puesto y se han roto.
b. un coche	II. Se ha bloqueado y no hace nada.
c. un ordenador	III. No funciona, no escribe.
d. un teléfono móvil	IV. Se ha averiado y ya no arranca el motor.
e. una camisa	V. Se ha estropeado y no puedo hacer llamadas.
f. unos pantalones	VI. Tiene una mancha.

¡No funciona nada!

b. Explica qué ha pasado.

1. ....
2. ....
3. ....

3 Competencia funcional: reclamar.

Oiga, no puede ser.

a. Lee estos diálogos y relaciónalos con uno de los objetos.

1

La conexión a Internet no funciona. No puede ser. Me dijeron que tiene tarjeta wifi y hoy no he podido conectarme fuera de la oficina.

¿Tiene la factura?

2

Vengo a reclamar: este aparato no funciona. Lo he comprado esta mañana y me han dicho que puedo llamar a América, pero no funciona.

¿Tiene la garantía?

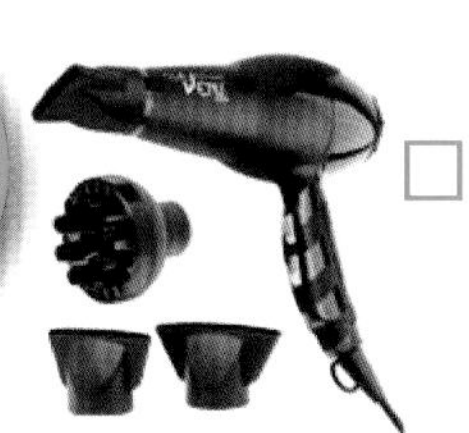

Tengo un problema.

b. Elige un objeto y haz un diálogo con tu compañero.

Reclamar

Vengo a reclamar.
Me dijeron... y...
No puede ser.
Esto está mal.
Esto no está bien.
Estoy muy / bastante enfadado/a, oiga.
¡Es increíble!
Lo siento, pero...

4 Competencia sociolingüística: ser amable.

Reclamar.

a. Observa estas frases y marca la más cortés.

1. Un aparato nuevo no funciona.
   a. ☐ Oiga. Este aparato no funciona. Estoy muy enfadado. Lo he comprado esta mañana y ya no funciona.
   b. ☐ Mire, vengo porque esta mañana he comprado este aparato y ya no funciona.
2. Has comprado un vestido que tiene una mancha.
   c. ☐ Este vestido está sucio.
   d. ☐ Mire, es que este vestido, que he comprado esta semana, tiene una mancha.
3. Han arreglado tu televisor y todavía no funciona.
   e. ☐ Mire, esta tarde me han dado el televisor arreglado y es que no funciona.
   f. ☐ Por favor, este televisor no funciona. Esto es terrible.

– ¿Es igual en tu idioma?

PARA SER EDUCADO EN UNA RECLAMACIÓN

En español no siempre se es cortés utilizando expresiones como «por favor» o «perdone». Para ser cortés es importante explicar las cosas. Por eso se utiliza mucho «porque» y «es que».

Sé educado.

b. Reformula estas frases para ser más cortés.

1. Oiga, por favor, no puede ser, este café está malísimo, está frío.
   ....
2. Esta habitación (de su hotel) está sucia, tienen que limpiarla.
   ....
3. Mire, no puede ser. Me he comprado este CD y no funciona.
   ....
4. Por favor, oiga, la conexión a Internet no va bien, no puede ser.
   ....

5 Competencia fonética y ortográfica: la pronunciación de los grupos pr y pl.

Un plato precioso.

32 **a.** Lee estas palabras. Después escucha y comprueba.

1. com**pr**ar
2. ejem**pl**o
3. **pr**onombre
4. com**pl**eto
5. **pr**ofesional
6. **pl**ural
7. **pr**etérito
8. **pr**oblemas
9. **pl**ato
10. **pl**ástico
11. **pr**ecio
12. **pr**enda
13. am**pl**io
14. a**pl**icar
15. **pr**eocupar

Ahora tú.

33 **b.** Escucha y completa con *pr* o con *pl*.

1. ...imavera
2. ...eno
3. ...opio
4. ex...otar
5. ...eferir
6. ...anta
7. ...obar
8. com...etar
9. ...ecioso

Acción

Haces una reclamación.

Si viajas a otros países, puedes tener problemas con los hoteles, con la agencia de viajes, con algo que compras... Por eso, vas a tener que presentar una reclamación.

Elige una de las situaciones anteriores y escribe esta reclamación.

¿Te ha pasado alguna vez? Explica cuándo.
¿Qué hiciste? ¿Qué pasó al final?

- ✔ Comprar algo y tener que cambiarlo.
- ✔ Perder un móvil.
- ✔ Estropearse el ordenador.
- ✔ Averiarse el coche en la carretera.
- ✔ Comprar algo roto.

FORMULARIO DE RECLAMACIÓN

1. Datos del reclamante.

Nombre y apellidos:
DNI, pasaporte o similar:
Dirección:
Teléfono de contacto:

2. Datos de la empresa reclamada.

Nombre:
Dirección:
Teléfono:

3. Documentos que se adjuntan:

- ❑ Ticket de compra.
- ❑ Garantía.
- ❑ Correos.
- ❑ Otro: ....

4. Motivo de la reclamación:

5. Petición:

- ❑ Devolución del dinero.
- ❑ Cambio por otro objeto en buen estado.
- ❑ Indemnización.
- ❑ Disculpas.

Fecha y firma del demandante.

Cultura hispánica

1 LAS NORMAS DE VESTIR EN ESPAÑA.
Aquí tienes algunas normas de vestir españolas. ¿Son iguales en tu país?

Cada persona tiene su estilo de vestir y su forma de ser. Eso es evidente. Pero en cada cultura hay unos criterios de «elegancia» que en muchos casos no son iguales en otras culturas. Conociendo las costumbres de un país se puede conocer mejor a las personas.

- ✔ No está bien visto utilizar zapatos de vestir, negros, marrones u oscuros, con calcetines blancos.
- ✔ No se considera de buen gusto combinar prendas de invierno con prendas de verano. Por ejemplo, sorprenderás si llevas sandalias con calcetines.
- ✔ No es correcto llevar ropa deportiva en algunos ámbitos profesionales y, especialmente, está poco aceptado llevar zapatillas deportivas con trajes y vestidos.
- ✔ En combinaciones de colores las modas son muy cambiantes y lo que un año es considerado extravagante, otro año puede estar de moda. Sin embargo, la combinación de rojo con rosa, suele considerarse extraña.
- ✔ En ciertas situaciones de ámbito público hay una serie de normas: en bodas, fiestas formales y protocolarias los hombres tienen que ir con traje y corbata y las mujeres con ropa elegante, en general con falda, vestidos o trajes para mujeres; en entierros las personas se ponen de luto, ropa oscura, a ser posible negra, y los hombres con corbata negra; en las bodas solo las novias pueden ir de blanco.

2 LA COMBINACIÓN DE COLORES.
Lee el texto, observa las fotos y da tu opinión.

una web de CRONIS ON LINE

Protocolo y Etiqueta

➡ **Artículos y Noticias** ➡ **Ceremonial** ➡ **Social** ➡ **Familiar** ➡ **Laboral** ➡ **Docs eLibros Tests** ➡ **Ocioteca y Club P&E**

RECOMENDADO

Artículos y Noticias: temas destacados.

Artículos y Noticias

1. **Blanco.** El color blanco combina con el resto de colores, pero no es conveniente combinarlo con colores claros (un amarillo o verde muy claros, por ejemplo). Para un vestido o traje solo suele ser apropiado para mujeres, o caballeros solo en ambientes tropicales.
2. **Negro.** El negro combina fácilmente con la mayoría de colores, pero no con colores muy oscuros o con otros tonos de negro. Es el color de la elegancia y del luto. No es conveniente, debido a su seriedad, vestir de negro de forma habitual.
3. **Marrón.** Es uno de los más difíciles de combinar. Va muy bien con otros tonos de marrón. Es un color fundamental en los vestuarios femeninos.
4. **Gris.** Es uno de los colores que dominan el vestuario masculino (los trajes). Va bien con casi todos los colores, como el negro, azul y tonos de rojo (burdeos, granate, etc.), con los verdes y algunos marrones, y con distintos tonos de gris. Es serio, discreto y elegante.
5. **Azul.** Otro de los colores más usados por los hombres. Va perfectamente con colores como el blanco, y los rojos (burdeos, granate, etc.), con el gris y crema (beis). Por norma general es más utilizado en colores oscuros.
6. **Verde.** Es seguramente uno de los menos utilizados para vestir. Es difícil combinarlo, solo con tonos propios del verde y con otro color tierra. También puede ir con algún tono claro de gris.

En cuanto a las combinaciones de prendas no se combina ropa de invierno con otras de verano; tejidos muy distintos porque parece que estamos aprovechando restos; rayas con cuadros; prendas clásicas con prendas vanguardistas.

BUSCADOR

Ver:
Directorio Empresas
GUIA PROFESIONAL

Buscar en Protocolo.

Buscar

Textos adaptados de http://www.protocolo.org/

La moda en España

3 ALGUNOS DISEÑADORES ESPAÑOLES.

Observa estos estilos de ropa. Elige el que más te gusta. Lee el texto y explica a tus compañeros por qué eliges ese estilo y cómo es el modisto o la firma que lo ha diseñado.

Ágatha Ruiz de la Prada

Comenzó en 1981 en Madrid, donde presentó su primera colección. A principios de los 80 inauguró su tienda-estudio y expuso sus trajes pintados y dibujos en diversas galerías de arte. A partir de 1992 comenzó a dar licencias para la explotación de su marca: los fabricantes pueden fabricar, distribuir, publicitar y vender sus productos en España y el extranjero, desde la Unión Europea a todo el mundo.

Victorio & Lucchino

Victorio -José Víctor Rodríguez Caro- y Lucchino -José Luis Medina del Corral- han sabido imprimir en sus creaciones un estilo original de indiscutible personalidad andaluza. Empezaron en el mundo de la moda a finales de los años 70, en Sevilla. En 1985 diseñaron su primera colección, que presentaron en un desfile en Nueva York. A partir de entonces y con la creación de la Pasarela Cibeles, comenzaron a presentar sus dos colecciones de *prêt-à-porter* cada año. Además, su amor al arte y a la cultura les ha llevado a colaborar en producciones teatrales y cinematográficas, como las obras *Yerma* o *La Celestina*, y la película *El guardaespaldas*. Sus creaciones no solo se conocen en España, sino por todo el mundo, en países como Japón, Alemania, Italia, Francia, Holanda o Estados Unidos.

Zara

Ofrece ropa de moda a un precio asequible, tanto a un público femenino, como masculino e infantil. La verdadera revolución que ha impulsado esta marca es el fenómeno de la democratización de la moda, un concepto que ha traspasado fronteras hasta contar con 1.120 tiendas repartidas en 68 países. Empezó en 1963. En 1975 abrió la primera tienda Zara en La Coruña con un modelo empresarial innovador que combina moda con negocio y diseño con industria, adaptándose a la realidad del mercado. El éxito del modelo de negocio de Zara supuso un antes y un después en la historia de la moda, puesto que supo dar respuesta casi inmediata a los gustos detectados en el mercado, ofreciendo moda a buen precio. Son capaces de diseñar, producir y distribuir una colección a cualquier parte del mundo en quince días. Actualmente, más de la mitad de sus ventas procede de los mercados exteriores.

ENFOQUE arte

Francis Montesinos NOVIA DE NEGRO

2007

La moda

Creativo, innovador y siempre rebelde, Francis Montesinos es un diseñador español. Su carrera es una de las más significativas dentro del panorama internacional de la moda. Nació en la ciudad de Valencia en los años 50. Al inicio de los 70, se hizo famoso en la moda española. Sus primeros desfiles, espectáculos de luz y color, danza y música, provocaron un cambio de esquemas, de conceptos y mensajes dentro de la industria de la moda española. En los años 80 su estética *made in Spain* influyó en las tendencias de la moda internacional y se convirtió en una de las imágenes de creatividad y modernidad de España en el exterior. Hay que destacar sus trabajos en el ámbito cultural con la bailarina cubana Alicia Alonso, el cineasta Pedro Almodóvar, el bailaor Antonio Canales, compañías de teatro, donde se descubre el infinito potencial creativo de este artista. El Instituto Valenciano de Arte Moderno (IVAM) ha publicado el Catálogo «Francis Montesinos, el por qué de una moda española» con su obra completa. En octubre de 2006 Francis Montesinos recibió, por su carrera de 35 años, la Medalla de Oro al Mérito de las Bellas Artes, de la mano del Rey Juan Carlos I.

1. ¿Qué representa la fotografía?
2. Describe el vestido y el sombrero de la modelo.
3. El vestido tiene como nombre «novia de negro»: ¿Te sorprende? ¿Por qué?
4. Francis Montesinos está relacionado con otras expresiones culturales. ¿Cuáles?
5. «La moda es una disciplina artística más», afirmó el modista Francis Montesinos en la presentación del catálogo de 30 años de su obra. ¿Estás de acuerdo con esta afirmación?
6. Elige a un diseñador internacionalmente conocido, preséntalo y explica por qué te gusta.

→ Busca información en Internet sobre Francis Montesinos y su colección «Al quite», inspirada en el mundo de los toros, y contempla más diseños para enseñárselos a tus compañeros.

→ Montesinos es considerado un creador de claras raíces mediterráneas y españolas en sus diseños. ¿En qué elementos crees que se ve la influencia de la cultura española en los diseños de moda?

Ámbito Académico

Portfolio: evalúa tus conocimientos.

Nivel alcanzado

Después de hacer el módulo 3

Fecha: ....

	Insuficiente	Suficiente	Bueno	Muy bueno
Comunicación				
- Puedo describir la ropa. Escribe las expresiones: (* Si necesitas más ejercicios, ve al punto 1 del Laboratorio de Lengua.)	☐	☐	☐	☐
- Puedo manejarme en una situación para comprar ropa. Escribe las expresiones: (* Si necesitas más ejercicios, ve al punto 2 del Laboratorio de Lengua.)	☐	☐	☐	☐
- Puedo hacer una reclamación. Escribe las expresiones: (* Si necesitas más ejercicios, ve al punto 3 del Laboratorio de Lengua.)	☐	☐	☐	☐
Gramática				
- Sé utilizar los verbos de emoción y gusto. Escribe algunos ejemplos: (* Si necesitas más ejercicios, ve al punto 4 del Laboratorio de Lengua.)	☐	☐	☐	☐
- Sé utilizar el doble pronombre. Escribe algunos ejemplos: (* Si necesitas más ejercicios, ve al punto 5 del Laboratorio de Lengua.)	☐	☐	☐	☐
- Sé utilizar los verbos en pretérito perfecto. Escribe algunos ejemplos: (* Si necesitas más ejercicios, ve al punto 6 del Laboratorio de Lengua.)	☐	☐	☐	☐
- Sé la diferencia entre el pretérito perfecto y el indefinido. Escribe algunos ejemplos: (* Si necesitas más ejercicios, ve al punto 7 del Laboratorio de Lengua.)	☐	☐	☐	☐
Vocabulario				
- Conozco los nombres de la ropa y los colores. Escribe las palabras que recuerdas: (* Si necesitas más ejercicios, ve al punto 8 del Laboratorio de Lengua.)	☐	☐	☐	☐
- Conozco el vocabulario para describir los materiales y el dibujo. Escribe las palabras que recuerdas: (* Si necesitas más ejercicios, ve al punto 8 del Laboratorio de Lengua.)	☐	☐	☐	☐
- Conozco el vocabulario útil para hablar de los problemas. Escribe las palabras que recuerdas: (* Si necesitas más ejercicios, ve al punto 9 del Laboratorio de Lengua.)	☐	☐	☐	☐

LABORATORIO DE LENGUA

Comunicación

1. Describir la ropa.

34

Escucha y marca a quién se refiere. En cada descripción hay un error. Corrígelo.

2. Comprar ropa.

a. Ordena el diálogo de una forma lógica. Después indica quién lo dice, el comprador o el vendedor.

- ☐ 60 euros.
- ☐ ¡Ajá! Mire, tenemos estas de seda. Son muy elegantes.
- ☐ Buenos días. ¿En qué puedo ayudarlo?
- ☐ De la M.
- ☐ De la M. Aquí tiene. Pase por caja, por favor.
- ☐ ¿De qué colores las tiene?
- ☐ ¿De qué talla?
- ☐ Entiendo. ¿Y estas? Las tiene lisas o de rayas.
- ☐ ¿Es para usted?
- ☐ Las lisas: verdes, rosas y blancas. Las de rayas: azules y verdes o rojas y blancas.
- ☐ Me gusta esta. ¿Cuánto cuesta?
- ☐ Muchas gracias.
- ☐ Muy bien, me llevo una.
- ☐ No, es para un regalo, es para una mujer.
- ☐ Mire, quería una blusa.
- ☐ Sí, pero yo quería algo más clásico. No me gustan los estampados.

3. Reclamar.

35

a. Escucha y contesta a las preguntas.

1. ¿Con qué máquina tiene problemas?
2. ¿Qué le pasa?
   - ☐ No funciona.
   - ☐ No hace lo que quiere.
   - ☐ Se ha estropeado.
3. ¿Qué va a hacer?

b. Escucha otra vez y resume la situación.

....

....

....

....

....

....

Gramática

4. Verbos de emoción y gusto.

Completa los diálogos con *encantar, interesar, molestar* o *parecer* y los pronombres.

1. • Mira, un catálogo de zapatos por Internet. ¿A ti .... comprar alguno?
   • No mucho, ... un poco caros, la verdad.
   • Pues a mí .... Son todos preciosos.
2. • ¿Qué .... este jersey, Juan?
   • No .... Es de lana y a mí la lana .... Prefiero el algodón.
3. • ¿Qué te pasa, no .... esta conferencia?
   • No mucho. .... bastante aburrida y .... que los conferenciantes no dicen nada interesante.
4. • ¿............ .... la música?
   • Un poco. Es que está muy alta.
5. • A mí .... muchísimo la moda. .... leer revistas sobre la Pasarela Cibeles o la Pasarela Gaudí.
   • Pues a mí no. No .... nada, me da igual la moda.

5. El doble pronombre.

Escucha las preguntas y marca la respuesta que corresponde. Después escucha otra vez y di la respuesta haciendo las transformaciones necesarias.

☐ Sí, te dejo el libro mañana.
....

☐ Creo que sí. Te voy a comprar el abrigo.
....

☐ Sí, te he traído la corbata. ¿Te gusta?
....

☐ Por supuesto. Ahora mismo le busco los zapatos.
....

☐ No, no es para mí. Le quiero regalar la chaqueta a mi padre.
....

☐ Por supuesto. Pase por caja y allí le envuelven los zapatos.
....

☐ Tienes razón. Es muy bonito. Le regalamos este vestido.
....

6. El pretérito perfecto.

a. Relaciona los infinitivos con los participios irregulares.

1. Abrir **2.** Hacer **3.** Poner **4.** Decir **5.** Escribir **6.** Volver **7.** Romper **8.** Ver

a. Visto **b.** Hecho **c.** Dicho **d.** Escrito **e.** Vuelto **f.** Abierto **g.** Puesto **h.** Roto

b. Transforma las frases en perfecto.

1. Normalmente, voy al cine los miércoles, pero esta semana no ....
2. Todos los días escribo un correo a mi novia, pero hoy no ....
3. En general, Elena vuelve a casa a las 7, pero esta noche .... más tarde.
4. Me levanto a las 6:30, pero hoy .... antes.
5. María recoge a los niños del colegio, pero hoy Iñaki los ....

7. Contraste entre el pretérito indefinido y el perfecto.

a. Clasifica estas expresiones de tiempo según se utilicen con perfecto o con indefinido.

→ Este año
→ En 1999
→ Hace un rato
→ Ayer
→ El otro día
→ Este fin de semana
→ De pequeño
→ Una vez
→ Anoche
→ Nunca

pretérito perfecto	pretérito indefinido

b. Elige la forma adecuada.

1. Yo no *he estado / estuve* nunca en Madrid, pero quiero ir.
2. El año pasado *hemos ido / fuimos* de vacaciones a Cancún.
3. *He visto / Vi* a Ana hace un momento, está muy bien.
4. ¿*Has estudiado / Estudiaste* otras lenguas? Sí, hace unos años *he aprendido / aprendí* catalán.
5. Lorenzo no *ha comido / comió* la paella de la abuela el domingo. ¿Le pasa algo?

Vocabulario

8. La ropa.

a. Relaciona las imágenes con las descripciones.

1. Una camisa de rayas azul marino, de algodón.
2. Un jersey azul de cuello alto, liso y de lana.
3. Unos pantalones grises cortos.
4. Unos zapatos negros de cuero.
5. Una blusa estampada blanca, negra y amarilla, de seda.

9. Los problemas.

Completa las frases para saber qué problema tiene.

1. Esta camisa está .... Mire aquí.
2. Este móvil se .... porque se ha caído.
3. Este motor ...., por eso no arranca el coche.
4. Este reloj .... mal. Va con retraso.
5. Este ordenador .... No responde.

Módulo 4

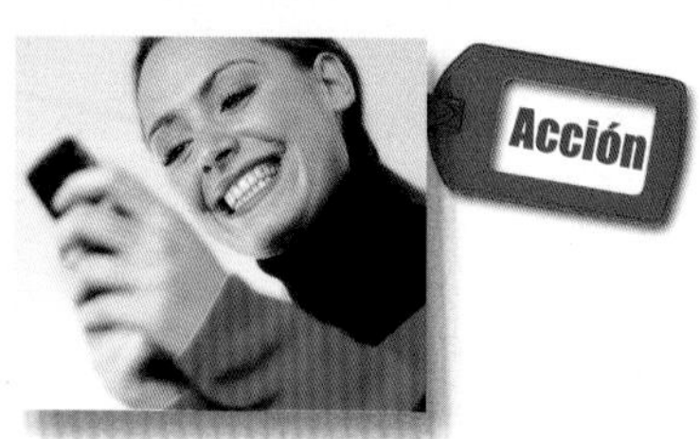

Ámbito Personal

Participas en un foro.

- **Competencia funcional:** expresar la opinión.
- **Competencia léxica:** la comunicación intercultural.
- **Competencia gramatical:** los comparativos y superlativos.
- **Competencia sociolingüística:** los gestos.
- **Competencia fonética y ortográfica:** la separación de palabras (consonantes).

Ámbito Público

Organizas un viaje de una semana en una ciudad hispana.

- **Competencia léxica:** los viajes.
- **Competencia funcional:** expresar acuerdo y desacuerdo.
- **Competencia gramatical:** los verbos irregulares en presente.
- **Competencia sociolingüística:** las interjecciones y frases interjectivas.
- **Competencia fonética y ortográfica:** la unión de palabras en la cadena hablada.

Ámbito Profesional

Escribes una carta de motivación.

- **Competencia funcional:** hablar de la habilidad para hacer algo.
- **Competencia léxica:** las titulaciones y las profesiones.
- **Competencia gramatical:** los pronombres posesivos.
- **Competencia sociolingüística:** la comunicación en la universidad y en la empresa.
- **Competencia fonética y ortográfica:** la unión de vocales en la cadena hablada.

Cultura hispánica

El turismo en España.

- El mapa turístico de España.
- Otros tipos de turismo.
- El mapa turístico de tu país.

Enfoque arte

La escultura contemporánea: Eduardo Chillida, *Peine del Viento*.

Ámbito Académico

Portfolio: evalúa tus conocimientos.
Laboratorio de Lengua: refuerza tu aprendizaje.

expresar la opinión

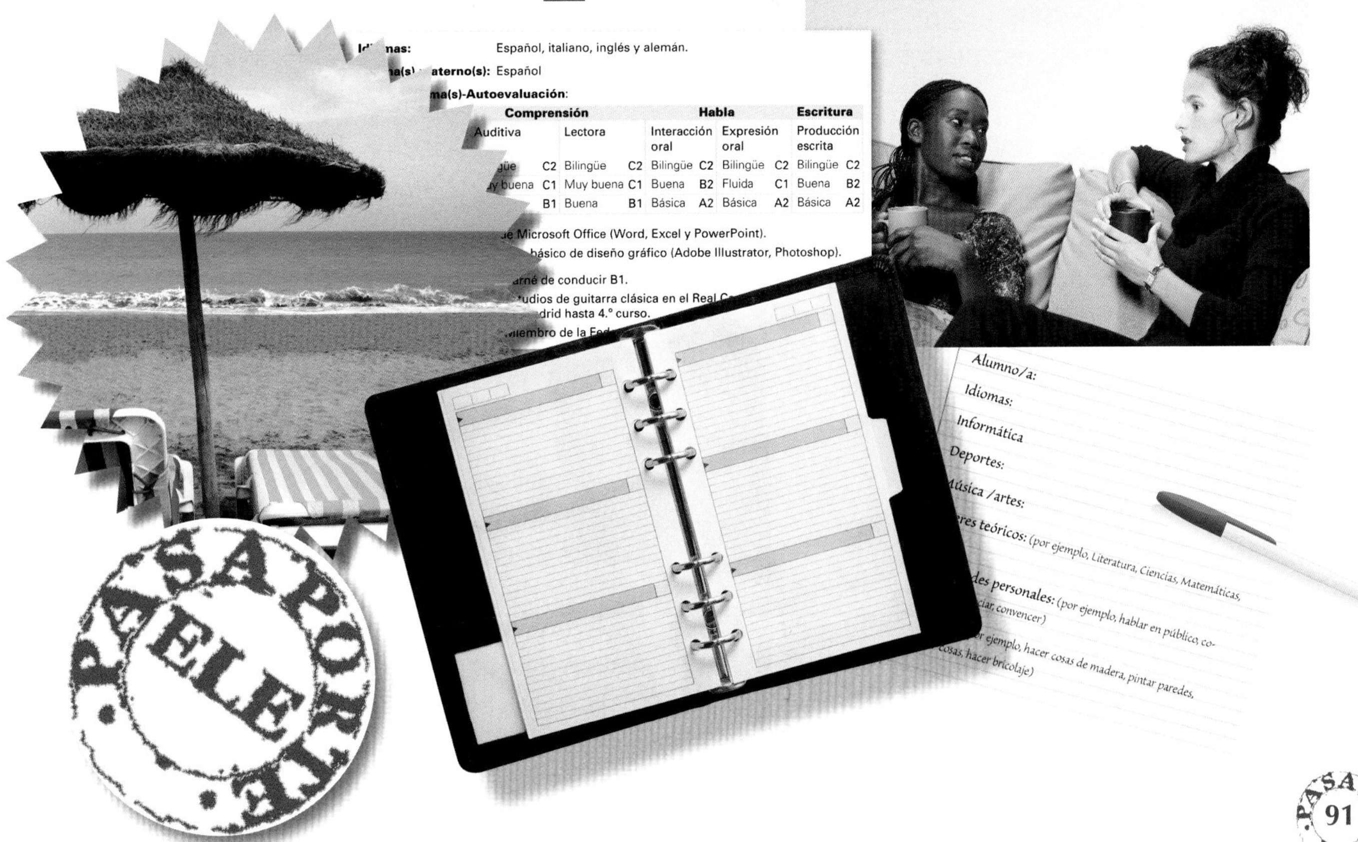

Ámbito Personal

Acción Participas en un foro.

Vamos a aprender a:

expresar nuestra opinión sobre diversos temas.

a. Lee los comentarios de periodistas extranjeros en España del libro *Vaya país* (Aguilar Editorial, Werner Herzog, Madrid 2006).

ESPAÑA VISTA POR LOS CORRESPONSALES EXTRANJEROS: HABLADORES, CAÓTICOS, IMPUNTUALES E INTENSOS

Borja Ventura (Periodista Digital). *Así nos ven.* Son corresponsales extranjeros que viven en España y comentan cómo han visto nuestro país, con sus virtudes y defectos.

1 «Los turistas a menudo perciben que los horarios laborales en España son un enigma indescifrable (...). Todos los extranjeros se preguntan: ¿Cómo lo consiguen los madrileños? ¿Cómo viven durmiendo tan poco?».

2 «Ocurre que a la gente, en España, le gusta hablar, incluso cuando no hay nada que decir. Todo el mundo tiene opinión sobre cualquier tema de la vida humana. En Alemania hay personas que dicen en voz baja: "No tengo ni idea, lo siento". Aquí raras veces oirás una frase así. Además, la imparcialidad aquí no existe».

3 «Los españoles salen mucho, después de trabajar van con los compañeros a tomar algo al bar o a una cafetería. La vida social tiene lugar fundamentalmente en la calle: parece que no les gusta estar en casa. Quizás es por el clima, pero en invierno en Madrid hace mucho frío, y la gente también está en la calle».

4 «Hablan con dramatismo, incluso de las cosas menos importantes, hablan con el cuerpo y el alma y, además, quieren ser escuchados. Sin embargo, ellos no son buenos conversadores, porque no escuchan. No te escuchan hasta el final y, si no hablas deprisa, te cortan».

b. Relaciona estos títulos con cada uno de los comentarios anteriores.

c. Escribe un título explicativo del contenido de cada comentario.

d. ¿Piensas que los españoles son así? ¿Conoces estereotipos sobre los españoles? ¿Y estereotipos sobre la gente de tu país?

1 Competencia funcional: expresar la opinión.

¿Y tú qué opinas?

37

a. Escucha la conversación entre Beatriz y Alejandra y señala verdadero (V) o falso (F).

	V	F
1. A Beatriz le gusta Lutz.	☐	☐
2. A Alejandra le parece muy mal la relación con Lutz.	☐	☐
3. A Lutz le gusta mucho salir.	☐	☐
4. Beatriz conoce a muchos alemanes.	☐	☐
5. La hermana de Alejandra vive en Helsinki.	☐	☐

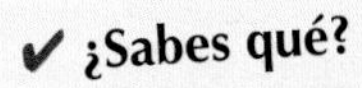

- ✔ ¿Sabes qué?
- ✔ No me digas, ¿de verdad?
- ✔ ¡No me lo puedo creer!
- ✔ Es fantástico.
- ✔ ¡Qué maravilla!
- ✔ Bueno, pues...
- ✔ Yo creo que...
- ✔ Mira...
- ✔ ¡Anda! ¡No me digas!
- ✔ A mí me parece que...
- ✔ ¡Qué tontería!

A mí me parece que es normal.

b. Lee estas frases del diálogo anterior. Escríbelas en el cuadro, en la columna correspondiente.

Expresar opinión	Valorar positiva o negativamente	Reaccionar a lo que nos están contando	Iniciar una conversación
Para mí	Me parece mal.	¿Qué me dices?	....
....	....	¿Ah, sí?	....
....	....	....	....

¡No me digas!

C. Dile estas frases a tu compañero. También puedes inventar otras situaciones. Él o ella tiene que reaccionar.

1. Han encontrado una vacuna contra el SIDA.
   Ejemplo: • *¿Sabes? Han encontrado una vacuna contra el SIDA.*
   • *¿Qué me dices? No me lo puedo creer, es maravilloso.*
2. El cambio climático va a convertir España en un desierto.
3. Los Gobiernos del mundo han decidido acabar con el hambre.
4. Se ha logrado la primera clonación de un ser humano.
5. La ONU ha suprimido todas las armas nucleares en el mundo.
6. Se han eliminado las emisiones de CO_2 casi por completo.

Yo creo que...

d. Completa el siguiente diálogo con las siguientes opiniones utilizando:
Yo creo, me parece, mi opinión, para mí...

.... que los estereotipos son una tontería, no son verdad.

No estoy de acuerdo. A veces los estereotipos son verdad: en España la gente es más alegre que en otros países del norte.

No, no son más alegres... salen más, viven más en la calle. A mí .... que eso es porque el clima es más cálido que en el norte.

Sí, puede ser. Pero en .... el carácter también es diferente, no solo el clima.

Pues .... no se puede generalizar: hay españoles alegres y otros que no son alegres y gente del norte que es alegre...

2 Competencia léxica: la comunicación intercultural.

Las diferencias culturales.

a. Lee los textos siguientes y complétalos con estas palabras. Después escucha y comprueba.

1 convivencia, diferencias culturales, malentendidos, costumbres, entorno, hábitos

2 diferencias culturales, valores, opiniones, pareja «mixta» (2), conceptos culturales, convivencia

1. Cuando tienes una pareja de otro país, ¿crees que hay más discusiones a causa de los .... y de las ....? ¿Es más fácil la .... con alguien que conoce tus ...., tus ...., tu ....?

2. En una .... «......................», las dos partes tienen que compartir .... y .... Si no, las .... pueden afectar negativamente a la relación.

Hace 6 años que estoy casada con una persona de otro país, y me doy cuenta de que muchas discusiones tienen que ver con ....: la educación de los hijos, la relación con la familia... Creo que una .... «......................» tiene problemas que una pareja «no mixta» no conoce. Pero yo estoy contenta con mi pareja y creo que en cualquier .... es necesario un esfuerzo.

(Adaptado de http://www.spaniards.es/node/1466)

¿Y tú?

b. Responde a estas preguntas.

1. ¿Has estado alguna vez en un entorno cultural diferente al tuyo?
2. ¿Has vivido alguna vez un malentendido cultural?
3. ¿Conoces diferencias culturales entre tú y personas de otros países?
4. ¿Qué opinas sobre las relaciones amorosas entre personas de culturas diferentes?

3 Competencia gramatical: los comparativos y superlativos.

Los españoles son tan altos como otros europeos.

a. Mira estas tablas sobre los españoles y los europeos y completa las frases.

ALTURA MEDIA DE LOS ESPAÑOLES		MUJERES		HOMBRES	
	EDAD	ALTURA	PESO	ALTURA	PESO
Generación actual (crecieron en los años 80)	18 – 29 años	1,64	64	1,77	77,5
Generación del yogur (crecieron en los años 60)	30 – 44 años	1,62	63	1,75	76,6
Generación de posguerra (crecieron en los años 40)	45 – 64 años	1,58	63	1,69	73,2
Promedio españoles		**1,61**	**63,3**	**1,76**	**77,5**
Promedio europeos		**1,64**	**63,5**	**1,75**	**77,5**

Las mujeres de hoy son .... altas y pesan .... las de la generación del yogur. Las mujeres de la generación del yogur pesan .... las de la posguerra y tienen .... años. Los hombres de la generación del yogur tienen .... años .... los de hoy y son .... altos .... los europeos. Las mujeres de hoy tienen .... años .... los hombres de la misma generación, son ....altas y pesan .... ellos.

– Ahora clasifícalas.

	Verbo	Sustantivo	Adjetivo
+			*Las mujeres de hoy son **más** altas **que** las de la generación del yogur.*
–			
=			

Algunos comparativos irregulares

Bueno > mejor	*Esta película es mejor que la otra.*	
Malo > peor	*Pues no, a mí me parece que esta es peor que la otra.*	
Grande > mayor	(tamaño y edad)	*Tengo 25 años, mi hermano es mayor que yo, tiene 30 y mi hermana es*
Pequeño > menor	(tamaño y edad)	*menor que yo, tiene 22.*

Es guapísimo.

b. Lee estas frases y subraya los superlativos.

1. A mí me parece que es una cosa normalísima.
2. Es un chico muy guapo.
3. Es la mujer más feliz del mundo.
4. El cambio climático es el problema ecológico más importante de esta época.

El superlativo

***muy* + adjetivo** *muy guapo, muy cómoda*
–ísimo/a *guapísimo, comodísima*
Expresa una cualidad en su grado máximo de intensidad.

el más rápido del mundo expresa una cualidad en grado máximo en comparación con otras personas, cosas, etc.

¡OJO!
blanco → blanquísimo
rico → riquísimo

Completa.

	El superlativo	
guapo/a	*muy guapo*	*guapísimo*
alto/a		
difícil		
rico/a		
barato/a		
tonto/a		
pequeño/a		
cariñoso/a		
loco/a		
poco/a		

El cambio climático.
Las dictaduras.
El terrorismo internacional.
El hambre.

Es el problema más importante.

c. *¿Cuál es para ti el / la....... más...... del mundo?*
Habla con tu compañero/a.

- *Para mí, el problema más importante del mundo es el cambio climático.*
- *Hombre, ese es un problema importantísimo, pero no el más importante. El más importante es...*

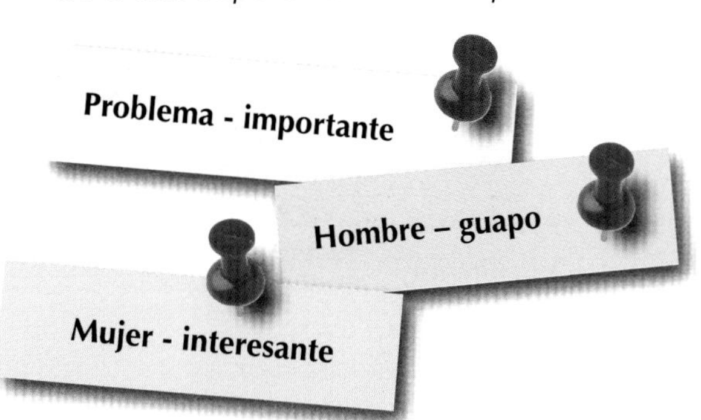

Brad Pitt.
George Clooney.

Rigoberta Menchú.
Frida Kahlo.

4 Competencia sociolingüística: los gestos.

Los gestos y la mímica son muy importantes en la comunicación en cualquier país o lengua, y es necesario saber interpretarlos correctamente en cada contexto.

Dímelo sin palabras.

a. Con nuestro cuerpo podemos expresar muchas cosas. ¿Qué cosas se expresan en tu país con movimientos o gestos?

Represéntalo frente a tus compañeros...
con los dedos, con el puño, con los ojos, con la nariz, con una mano, con un brazo, con ....

¡Ojo!

b. Estos gestos se utilizan muy frecuentemente en España.
Relaciónalos con las frases.

1. Es muy caro. Hace falta mucho dinero.
2. Hay mucha gente. Está todo lleno.
3. Estoy harta. Estoy hasta la coronilla.
4. ¡Qué cara!
5. ¡Ojo! ¡Cuidado!
6. Está loco.

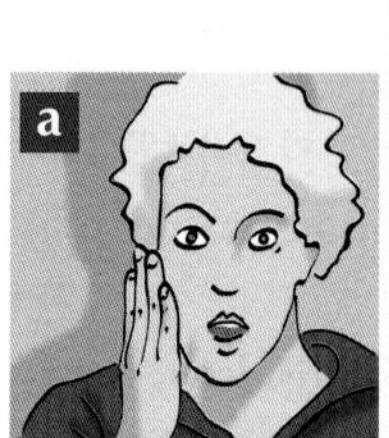

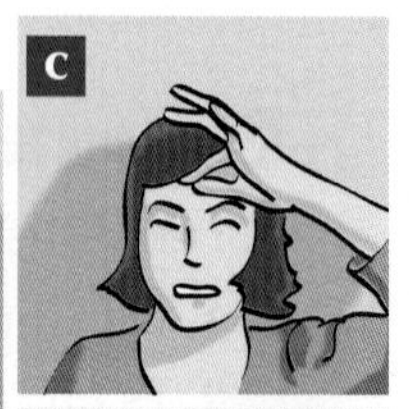

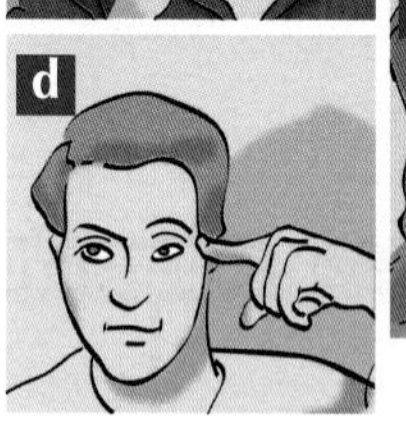

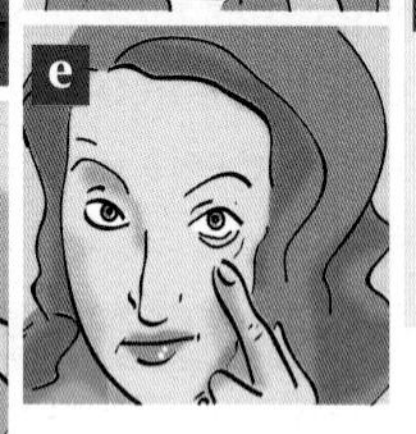

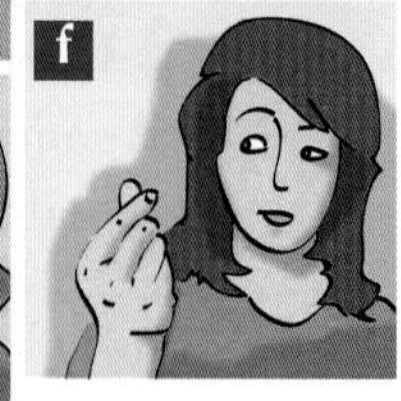

5 Competencia fonética y ortográfica: la separación de palabras (consonantes).

¿Cómo se separan las palabras?

a. Mira cómo se separan estas palabras y lee la regla para recordarla.

1. ar-tis-ta	4. cier-to	7. con-cier-to	10. mu-cho	13. as-co
2. per-fec-to	5. ca-rre-te	8. ta-lla	11. pas-ta	14. ca-rre-ti-lla
3. fies-ta	6. car-ta	9. po-llo	12. pa-rra	

Separación de consonantes

Si hay dos consonantes juntas entre dos vocales, cada una va en una sílaba diferente, excepto **ch**, **ll** y **rr**, porque son una sola letra en español.

Las letras l y r.

b. Marca las letras *l* y *r* en estas palabras, haz la separación en sílabas y lee las palabras separadas en voz alta.

1. Pablo	3. hambre	5. siglo	7. compra	9. isla
2. triste	4. Manresa	6. contra	8. complemento	10. despertar

- Escúchalas, comprueba si has hecho bien la separación y lee la regla.

Excepción: las letras l y r

Las consonantes **l** y **r** siempre van unidas a la consonante que está antes, excepto si esta es **s** o **n**.

Ahora tú.

c. Ahora separa en sílabas estas palabras.

1. abrazo	4. plantar	7. antropólogo	10. característica	13. derrota
2. israelita	5. cuchillo	8. infancia	11. cancionero	14. infantil
3. platillo	6. importante	9. alto	12. biblioteca	15. ocho

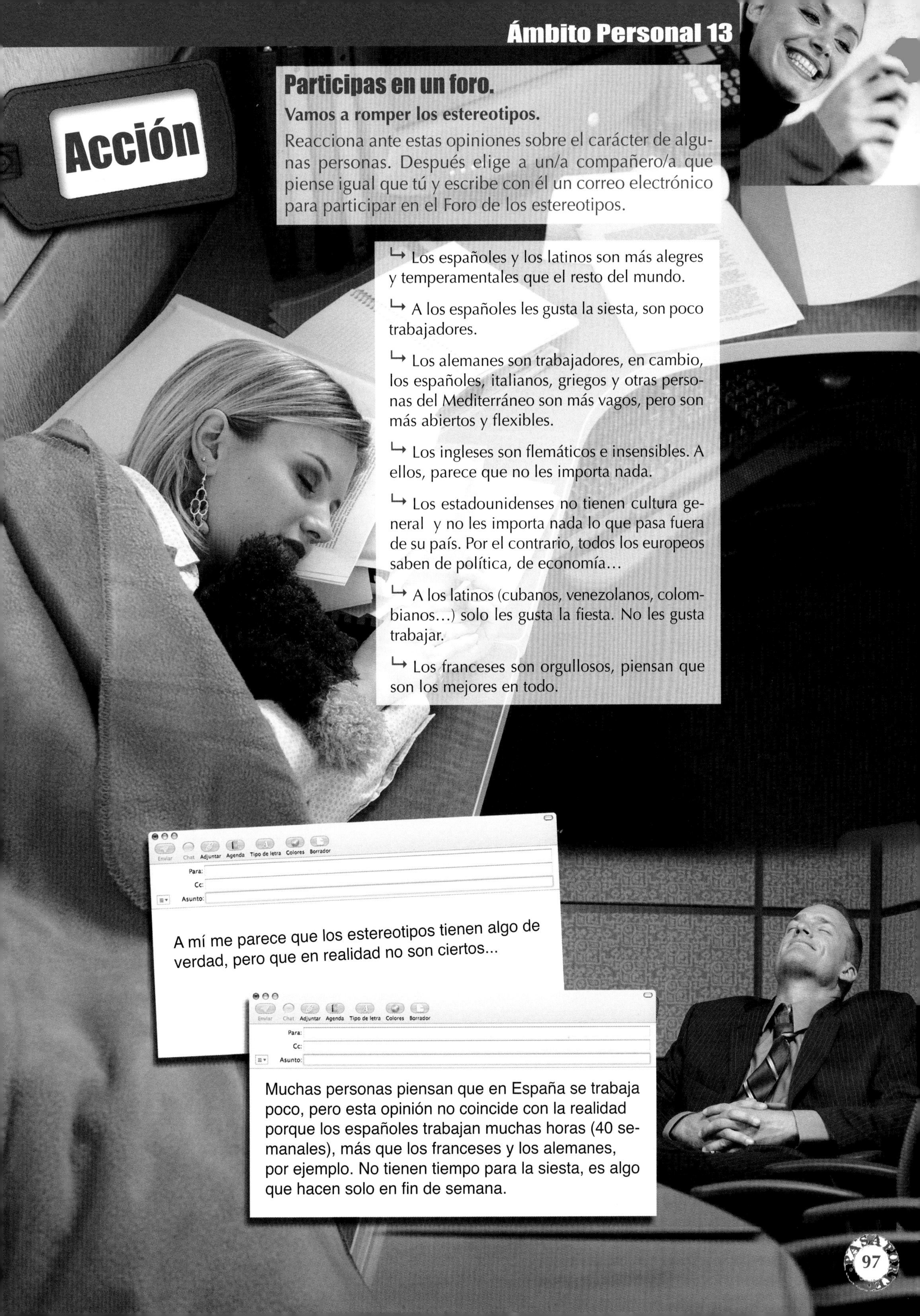

Acción

Participas en un foro.

Vamos a romper los estereotipos.

Reacciona ante estas opiniones sobre el carácter de algunas personas. Después elige a un/a compañero/a que piense igual que tú y escribe con él un correo electrónico para participar en el Foro de los estereotipos.

- ↳ Los españoles y los latinos son más alegres y temperamentales que el resto del mundo.
- ↳ A los españoles les gusta la siesta, son poco trabajadores.
- ↳ Los alemanes son trabajadores, en cambio, los españoles, italianos, griegos y otras personas del Mediterráneo son más vagos, pero son más abiertos y flexibles.
- ↳ Los ingleses son flemáticos e insensibles. A ellos, parece que no les importa nada.
- ↳ Los estadounidenses no tienen cultura general y no les importa nada lo que pasa fuera de su país. Por el contrario, todos los europeos saben de política, de economía...
- ↳ A los latinos (cubanos, venezolanos, colombianos...) solo les gusta la fiesta. No les gusta trabajar.
- ↳ Los franceses son orgullosos, piensan que son los mejores en todo.

A mí me parece que los estereotipos tienen algo de verdad, pero que en realidad no son ciertos...

Muchas personas piensan que en España se trabaja poco, pero esta opinión no coincide con la realidad porque los españoles trabajan muchas horas (40 semanales), más que los franceses y los alemanes, por ejemplo. No tienen tiempo para la siesta, es algo que hacen solo en fin de semana.

Ámbito Público

Acción **Organizas un viaje de una semana en una ciudad hispana.**

Vamos a aprender a:
hablar de los viajes.

Lee esta oferta de viaje y responde a las preguntas.

MALLORCA INCÓGNITA
Naturaleza y montañas en la otra cara de la isla. 8 días
FECHAS SALIDA: 04/08/2008, 11/08/2008, 18/08/2008, 01/09/2008.
ITINERARIO. Vuelo de Madrid a Palma de Mallorca. Traslado al hotel en autobús. Estancia y actividades en la isla. Vuelo de Palma a Madrid.
GRUPO MÍNIMO: 10 personas. **GRUPO MÁXIMO**: 26 personas.
PRECIO: 599 euros / Reserva anticipada: 580 euros.
INCLUYE:
- Alojamiento en hotel, en habitación doble, con media pensión.
- Cena típica de bienvenida.
- Autobús para traslados interiores.
- Excursiones con guía.
- Seguro de viaje.
- Guía acompañante.
- Equipajes: pérdidas materiales 151 €.

1. ¿Adónde es el viaje?
2. ¿En qué medio de transporte viajan?
3. ¿Cuáles son las fechas del viaje?
4. ¿Cómo es el alojamiento?

1 Competencia léxica: los viajes.

¿Qué elegir?

a. Clasifica las siguientes palabras en diferentes grupos.

Hotel, avión, media pensión (MP: desayuno y cena o desayuno y comida), casa rural, *camping*, tren, barco, habitación individual, visitas a museos, espectáculos, habitación triple, excursiones, apartamento, pensión completa (PC: desayuno, comida y cena), autobús, solo alojamiento (noche sin desayuno), habitación doble, alojamiento y desayuno (AD).

Opciones de viaje.

b. Con tu compañero elige las opciones más adecuadas para los siguientes viajes (tipo de alojamiento, régimen, medios de transporte y actividades).

1. Pareja con dos niños, de 10 y 7 años.
2. Un grupo de señoras de 70/75 años.
3. Un grupo de 2 amigos y una amiga de 22 años.
4. Un grupo de chicos y chicas de 16 años de un colegio.
5. Ejecutivos en viaje de negocios.

2 Competencia funcional: expresar acuerdo y desacuerdo.

¿Está usted de acuerdo?

a. Escucha el diálogo entre una familia que quiere viajar a Lanzarote y una empleada de una agencia de viajes y señala la opción correcta.

	Están de acuerdo	No están de acuerdo
1. El viaje en general.	☑	☐
2. El alojamiento en apartamento.	☐	☑
3. Dos habitaciones dobles.	☑	☐
4. El precio del vuelo.	☐	☑

Vale, de acuerdo.

b. Coloca estas frases, sacadas del diálogo, en la columna adecuada.

No estamos conformes con el precio del vuelo.

¡Vale, de acuerdo!

No estamos de acuerdo con el alojamiento en apartamento.

En general estamos de acuerdo con el viaje.

Sí, eso me parece bien.

Expresar acuerdo	Expresar desacuerdo
si eso me parece bien	no estamos de acuerdo con el alojamiento en apartamento
vale, de acuerdo	no estamos conformes con el precio del vuelo
en general estamos de acuerdo con el viaje	

No es verdad.

c. Cuando hablamos, además, utilizamos otras maneras para expresar acuerdo y desacuerdo.

41 Lee las expresiones, escucha los microdiálogos y marca el orden en que aparecen. Después, completa el cuadro anterior.

- 2 Es cierto.
- 4 Es verdad, tienes toda la razón.
- 1 No, yo no lo creo.
- 5 No, yo creo que no es así.
- 3 No es verdad.
- 6 Tienes razón.

Diferentes formas de hacer turismo.

d. Lee las siguientes opiniones sobre diferentes formas de hacer turismo y reacciona: *estoy de acuerdo con, es verdad, no estoy de acuerdo con, etc.*

a. Yo prefiero ir a un buen hotel, de 4 o 5 estrellas. Una habitación con baño grande, terraza, piscina y todos los servicios. Es más caro, pero en las vacaciones quiero descansar.

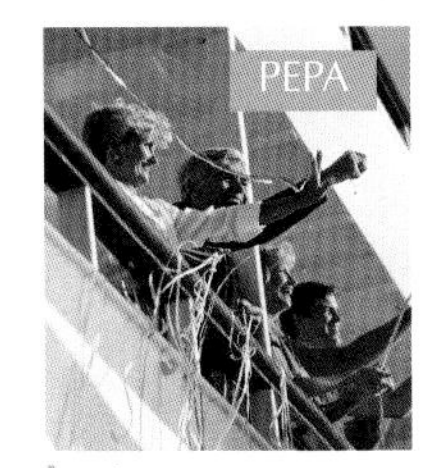

b. A mí me encantan los cruceros. ¡Es tan divertido! Conoces a mucha gente, los camarotes son muy cómodos y siempre hay actividades sociales. Es estupendo.

c. Yo siempre voy de vacaciones a casas rurales. Me encanta la naturaleza, visitar pequeños pueblos, conocer a gente sencilla, caminar por el campo y comer cosas naturales. Sin duda es lo mejor.

d. Lo mejor es viajar en caravana: es más barato y tienes libertad para moverte. Además, puedes llevar las bicicletas. En los hoteles hay mucha gente.

e. A mí me encanta ir de *camping*. Si tienes una buena tienda, es muy cómodo, y conoces a mucha gente. Es un ambiente tranquilo y acogedor. Además, es muy barato. Es lo mejor.

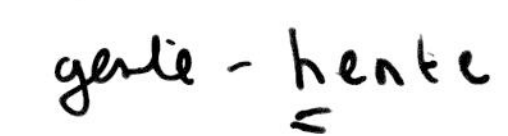

¿Y tú?

e. ¿Te gustan las ofertas turísticas de las agencias de viajes? ¿Qué tipo de vacaciones prefieres? ¿Qué tipo de alojamiento?

3 Competencia gramatical: los verbos irregulares en presente.

Prefiero el avión, y vosotros, ¿qué preferís?

a. Clasifica estas formas en la columna adecuada y completa todas las personas.

prefieres, pide, podéis, salís, preferís, pido, prefieren, puedo, sales, pueden, pedís, salgo.

	PREFERIR Verbos que cambian **e** a ***ie*** en algunas personas	PODER Verbos que cambian **o** a ***ue*** en algunas personas **(dormir, contar)**	PEDIR Verbos que cambian **e** a ***i*** en algunas personas **(repetir)**	SALIR Verbos que tienen ***-go*** en la primera persona **(decir, hacer)**
Yo				
Tú				
Él, ella, usted				
Nosotros, nosotras				
Vosotros, vosotras				
Ellos, ellas, ustedes				

Tengo miedo al avión.

b. Hay verbos con dos irregularidades. Lee las frases, subraya los verbos y completa las conjugaciones.

Si tienes un momento, mira, tenemos unos vuelos baratos.

Vengo a España de vacaciones con mi familia. Venimos todos los años.

En la agencia dicen que este hotel es barato, pero yo digo que es caro.

	Tener	Venir	Decir
Yo			
Tú		vienes	
Él, ella, usted			
Nosotros, nosotras			decimos
Vosotros, vosotras		venís	decís
Ellos, ellas, ustedes			

Aquí tienes otros 3 verbos irregulares. Completa.

	Dar	Saber	Ser
Yo		sé	
Tú	das		
Él, ella, usted	da		
Nosotros, nosotras		sabemos	
Vosotros, vosotras	dais		
Ellos, ellas, ustedes		saben	

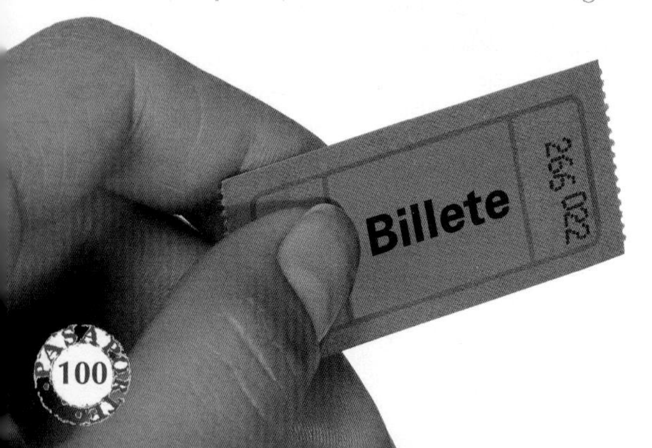

Ahora tú.

C. Elige una de estas formas y dila en voz alta. Tu compañero/a tiene que decir el correspondiente plural o singular y formar una frase.

Tú: *pedís* - Tu compañero/a: *pides un café en un bar.*

Tú: *prefiero* - Tu compañero/a: *nosotros preferimos hacer ejercicios.*

Verbos

preferir, tener, poder, pedir, salir, decir, venir, hacer, repetir.

~~pedís~~	tenéis	pido	piden
sé	puedes	preferimos	sabéis
dice	salgo	tiene	repites
hago	doy	puedo	salgo
tienen	das	dices	decimos
venimos	vengo	vienes	dais
digo	hacéis	pueden	~~prefiero~~

4 Competencia sociolingüística: las interjecciones y frases interjectivas.

¡Pero hombre!

42

a. Escucha y escribe la interjección de cada frase en el número correspondiente y relaciónala con su significado.

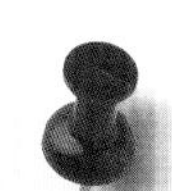

Las interjecciones son palabras que expresan una reacción afectiva y que aparecen solas en las frases. Las encontramos principalmente en el lenguaje oral y, cuando se escriben, van con signos de exclamación (*¡Anda! ¡Ay! ¡Hombre! ¡Eh! ¡Ojalá! ¡Ah!*).

1. ¡..................!
2. ¡..................!
3. ¡..................!
4. ¡..................!
5. ¡..................!
6. ¡..................!

a. Estar sorprendido
b. Expresar dolor
c. Expresar petición
d. Llamar la atención
e. Expresar un deseo
f. Expresar admiración

– Utiliza las interjecciones. Observa.

Interjecciones

Muchas interjecciones cambian su significado según el contexto y el tono:

¡Anda!	• Petición	*Anda, por favor, ven conmigo.*
	• Rechazar	*Anda, deja de decir tonterías.*
	• Expresar sorpresa	*¡Anda, Manuel! ¡Cuánto tiempo sin verte!*
¡Hombre!	• Expresar sorpresa	*¡Hombre! Tú por aquí.*
	• Regañar	*¡Hombre! Esto no, no se hace.*
	• Petición	*Hombre, ayúdame.*

Es importante saber que *¡hombre!* ha perdido su significado original y se puede utilizar tanto con un hombre como con una mujer.

¡Vaya calor!

b. Lee estos diálogos y complétalos con una de las interjecciones anteriores *(¡Eh! ¡Ojalá! ¡Anda! ¡Ay! ¡Ah! ¡Hombre!).*

1. • ¿Quién es ese chico tan alto?
   • ¡................! ¿Ese? Es Juan. ¡Hace siglos que no lo veo!
2. • A esa chica se le ha caído la llave del bolso. Dile algo.
   • ¡................! Se te ha caído la llave.
3. • ¿Has terminado ya el trabajo?
   • ¡................! No, todavía tengo para un par de horas.
4. • ¡................! ¡Qué dolor! Me he pillado el dedo con la puerta.
5. • ¿Qué es esta máquina?
   • Es una máquina de hacer pan. Das a este botón y se pone en marcha.
   • ¡................! ¡Qué máquina tan sorprendente!
6. • Déjame el coche.
   • Que no, que te he dicho que no.
   • ¡................! Lo necesito de verdad… solo para esta tarde.
   • Bueno, vale.

¿Y en tu país...?

c. ¿Conoces otras interjecciones en español? ¿Qué interjecciones se usan en tu idioma? ¿Son similares? ¿Qué expresan? Habla con tus compañeros y explica las similitudes y diferencias.

5 Competencia fonética y ortográfica: la unión de palabras en la cadena hablada. Delimitación silábica.

a. Tu profesor lee en voz alta cada frase respetando la separación y la clase repite.

Cuando hablamos, no pronunciamos las palabras una a una, separada cada una de la siguiente. Las palabras se unen unas con otras y pronunciamos las frases como una gran palabra, que se divide en sílabas, como las que conoces ya.

1. va-mo-sa-ca-sa ....
2. e-nel-par-que-hay-mu-cho-sár-bo-les ....
3. (*)es-te:s-el-re-ga-lo-pa-ra-lo-sa-mi-gos-dE:-lena ....
4. te: -a-rre-gla-do-los-do-sor-de-na-do-res ....
5. me:n-con-tra-do-co-nÓs-ca-re-nel-me-tro ....

(*) e: léela como una *e* un poco más larga.

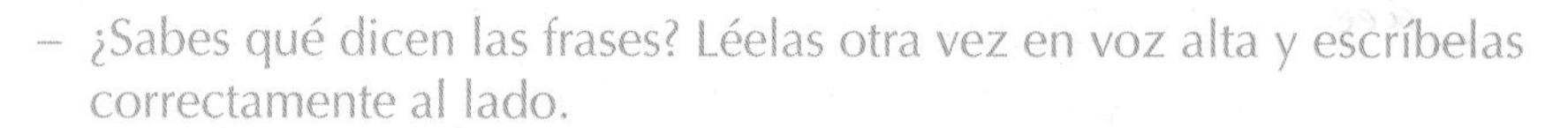

– ¿Sabes qué dicen las frases? Léelas otra vez en voz alta y escríbelas correctamente al lado.

Acción

Organizas un viaje de una semana en una ciudad hispana.

Vas a organizar un viaje de una semana en una ciudad de España o Hispanoamérica para conocer mejor el mundo hispano. Ya conoces algunas: Buenos Aires, Valencia y Madrid. La clase puede formar 3 grupos, cada grupo elige una ciudad y elabora un programa de actividades para su estancia de una semana. Después cada grupo lo presenta y los demás expresan su acuerdo o desacuerdo.

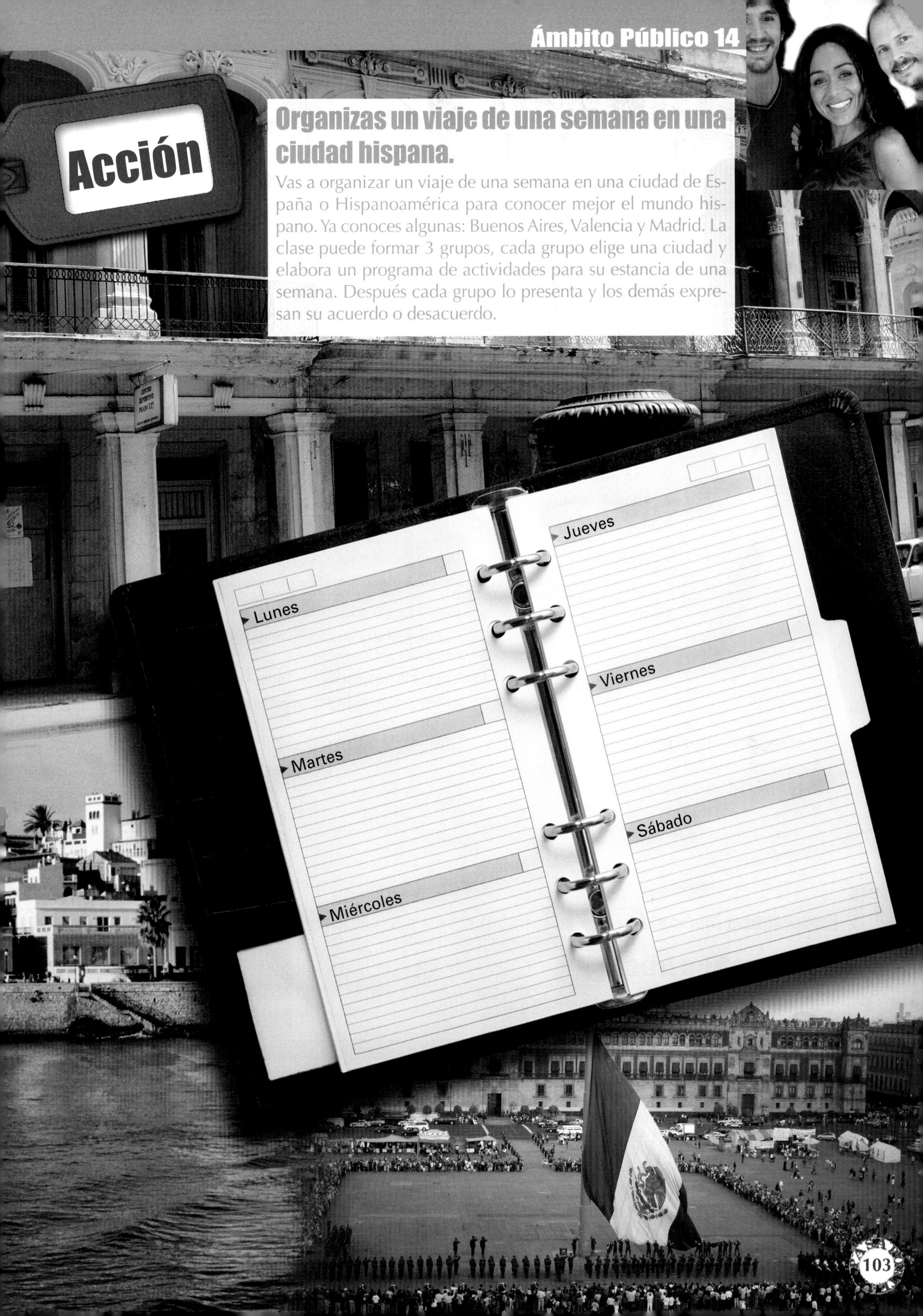

Ámbito Profesional

Acción **Escribes una carta de motivación.**

Vamos a aprender a:
presentarnos para un puesto de trabajo.

Este es un fragmento del currículum de Ana Gutiérrez Rossi. Léelo y marca si las frases son verdaderas o falsas.

Idiomas: Español, italiano, inglés y alemán.

Idioma(s) materno(s): Español

Otro(s) idioma(s)-Autoevaluación:

	Comprensión		Habla		Escritura
	Auditiva	Lectora	Interacción oral	Expresión oral	Producción escrita
Idioma 1 (italiano)	Bilingüe C2	Bilingüe C2	Bilingüe C2	Bilingüe C2	Bilingüe C2
Idioma 2 (inglés)	Muy buena C1	Muy buena C1	Buena B2	Fluida C1	Buena B2
Idioma 3 (alemán)	Buena B1	Buena B1	Básica A2	Básica A2	Básica A2

Informática:
- Dominio de Microsoft Office (Word, Excel y PowerPoint).
- Conocimiento básico de diseño gráfico (Adobe Illustrator, Photoshop).

Otras informaciones:
- Carné de conducir B1.
- Estudios de guitarra clásica en el Real Conservatorio de Música de Madrid hasta 4.° curso.
- Miembro de la Federación de Tenis.

	V	F
1. Ana habla italiano perfectamente.	☐	☐
2. Su nivel de inglés es más alto que el de alemán.	☐	☐
3. Es especialista en diseño gráfico.	☐	☐
4. Sabe tocar la guitarra.	☐	☐
5. Juega al tenis.	☐	☐
6. Sabe conducir.	☐	☐

1 Competencia funcional: hablar de la habilidad para hacer algo.

¿Qué sabes hacer?

43 **a.** Escucha el siguiente diálogo y completa el cuadro.

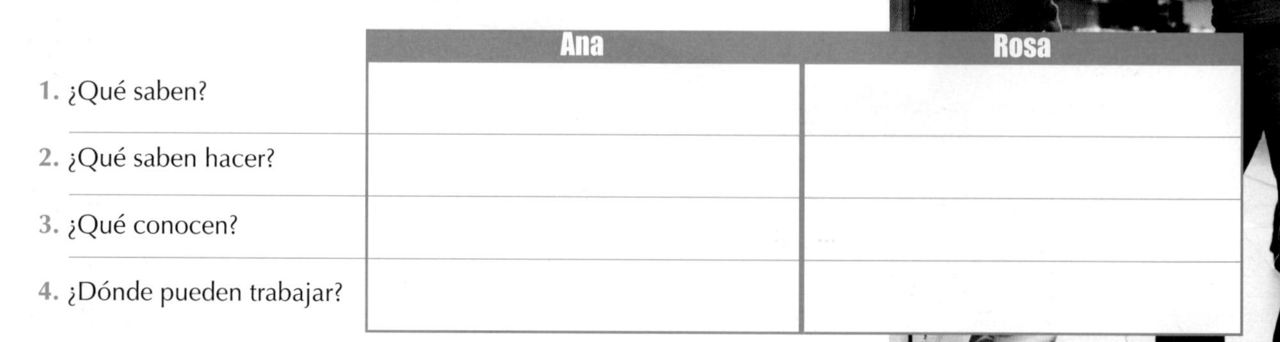

	Ana	Rosa
1. ¿Qué saben?		
2. ¿Qué saben hacer?		
3. ¿Qué conocen?		
4. ¿Dónde pueden trabajar?		

– Lee las siguientes frases del diálogo. Clasifica los ejemplos.

1. sabes muchos idiomas
2. sé inglés perfectamente
3. sé utilizar Windows
4. sé manejar PowerPoint
5. conocemos diferentes países
6. sabemos informática
7. sabemos conducir
8. sabes tocar la guitarra

¿Qué saben?

¿Qué conocen?

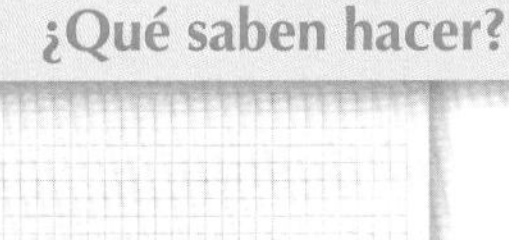

¿Qué saben hacer?

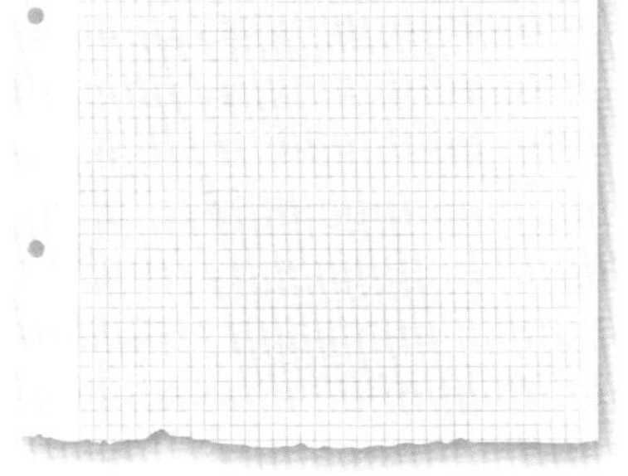

¿Saber o conocer?

b. Observa.

Conocer

Conocer	+	Europa, a Carlos... (bastante bien)

Saber no se puede usar para hablar de personas ni de lugares. En ese caso, se usa **conocer**.

Saber

Sé	un poco de mucho/a bastante ...	+	informática inglés violín
No sé		+	tocar la guitarra hablar inglés

¿Y tú, qué sabes hacer?

c. Habla con tu compañero, pregúntale qué sabe y describe por escrito sus habilidades en este formulario.

Alumno/a:
Idiomas:
Informática
Deportes:
Música /artes:
Saberes teóricos: (por ejemplo, Literatura, Ciencias, Matemáticas, etc.)
Habilidades personales: (por ejemplo, hablar en público, comunicar, negociar, convencer)
Técnicas: (por ejemplo, hacer cosas de madera, pintar paredes, arreglar cosas, hacer bricolaje)

2 Competencia léxica: las titulaciones y las profesiones.

Áreas de estudio.

a. Aquí tienes una lista de algunas titulaciones universitarias de España. Indica su área de estudio.

1. Ciencias Sociales y Jurídicas
2. Enseñanzas Técnicas
3. Humanidades
4. Ciencias Experimentales
5. Ciencias de la Salud

Enfermería
Fisioterapia
Medicina

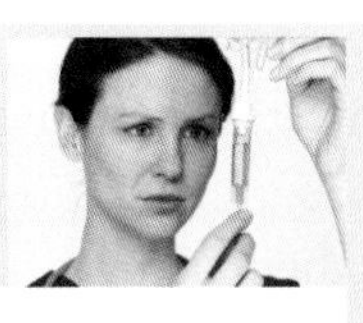

a.

Derecho
Administración y Dirección de Empresas
Sociología

b.

Química
Ciencias Ambientales
Biología

c.

Traducción e Interpretación
Filología Inglesa
Historia

d.

Ingeniero en Informática
Ingeniero Aeronáutico
Arquitecto

e.

¿Estudias o trabajas?

b. Relaciona las siguientes profesiones con los estudios correspondientes.

1. Abogado/a	a. Biología
2. Directivo/a de empresa	b. Fisioterapia
3. Traumatólogo/a	c. Ingeniería en Informática
4. Profesor/-a de idiomas	d. Derecho
5. Fisioterapeuta	e. Filología
6. Programador/-a	f. Medicina
7. Investigador/-a marino/a	g. Administración y Dirección de Empresas

¿Qué profesión es?

C. Crea más adivinanzas y tu compañero adivina.

Sabe curar a los enfermos.
Trabaja en hospitales.
Lleva una bata blanca.
↳ El/la médico/a

....
....
....
↳ ....

....
....
....
↳ ....

3 Competencia gramatical: los pronombres posesivos.

Mi profesión es muy interesante.

a. ¿Recuerdas los adjetivos posesivos? Observa.

Su y **sus** pueden referirse a una o varias personas: ***su*** *colega* puede ser el colega de María, el colega de Alberto o el colega de María y Alberto. Por eso, cuando no está claro, se utiliza **de + nombre**: *el colega de María*.

Objeto o persona poseída		Poseedor: Un poseedor – Yo	Tú	Usted, él, ella	Varios poseedores – Nosotros, nosotras	Vosotros, vosotras	Ustedes, ellos, ellas
Uno	Masculino	mi	tu	su	nuestro	vuestro	su
	Femenino				nuestra	vuestra	
Varios	Masculinos	mis	tus	sus	nuestros	vuestros	sus
	Femeninos				nuestras	vuestras	

– Lee este diálogo y completa.

- Oye, Ana, ¿a qué se dedica .... hermano José?
- Es médico.
- En .... familia hay muchos médicos, ¿no?
- Bueno, algunos: .... hermano, ... tío y .... mujer, ... primos... Pero hay muchos más profesores y profesoras: .... hermana y .... hijos, ... padre. Es una familia de profesores. ¿Y la tuya?
- En la mía son todos abogados, ... madre, ... hermanos, ... abuelo...

Los pronombres posesivos

b. Completa con los pronombres posesivos.

Toma, Cristina, este informe es tuyo.

		Yo	Tú	Usted, él, ella	Nosotros, nosotras	Vosotros, vosotras	Ustedes, ellos, ellas
Masculino	Singular	mío	....	suyo	....	vuestro	....
	Plural	....	....	....	....	....	suyos
Femenino	Singular	....	tuya	....	nuestra	....	....
	Plural	....	....	....	....	....	....

Ese reloj es mío

c. Todos los alumnos colocan tres cosas suyas en una mesa en el centro del aula. Por turnos, alguien se levanta, selecciona un objeto y pregunta de quién es. El propietario responde.

La mía también

d. Observa.

¿De quién es este reloj? ¿Es tuyo, Rafa?

– Por turnos, con tu compañero/a, uno lee la frase y el otro responde.

1. En mi país hay montañas.
2. Salgo mucho con mis amigos.
3. Mi familia vive lejos.
4. Me gusta tu ropa.
5. Vuestro idioma es muy interesante.
6. Vamos a hablar con vuestros padres.
7. No veo mucho a mi familia.
8. Quiero presentarte a mis amigas.
9. Marta quiere conocer a tus amigas.

*Cuando sabemos de qué estamos hablando, para no repetir el sustantivo, usamos el artículo + el posesivo.

También y tampoco

- *Mi casa es pequeña.*
- *La mía **también**.*

- *A mi abuela no le gusta el arte moderno.*
- *A la mía **tampoco**.*

- *A mí me gusta tu coche.*
- *A mí el tuyo **también** / **no**.*

4 Competencia sociolingüística: la comunicación en la universidad y en la empresa.

¿Señor o profesor?

a. Lee este diálogo entre un estudiante Erasmus, que acaba de entrar en clase, y una estudiante española. Después marca en la página siguiente qué expresiones para hablar con un profesor de la universidad no son correctas y explica por qué.

- Hola, soy Johannes, estoy aquí con un Erasmus.
- Hola, ¿qué tal?
- Mira, te quería preguntar ¿cómo hay que hablar a los profesores, de tú o de usted?
- Pues de tú. Yo siempre les hablo de tú.
- ¿A todos?
- No, a todos no. A los más mayores o los más importantes, de «profesor» y de «usted».
- ¿Y no les llamas «señor» y el apellido?
- No, no, en la universidad, no. Pero en una empresa es mejor usar «señor» o «señora» y el apellido. En muchos sitios, incluido el mundo del trabajo, al principio hablas de usted, pero cuando ya conoces a la gente, se la puede tutear.
- ¡Ah!

Señor José, por favor, ¿tenemos hoy clase?

Señor, ¿puede repetir?

José, no lo entiendo muy bien. ¿Me lo explicas otra vez, por favor?

Profesora, ¿puedo hablar con usted?

En España y en tu país.

b. Sistematiza lo que has visto y marca verdadero (V) o falso (F).

	V	F
1. En general se habla de manera informal a los profesores.	☐	☐
2. A los más mayores o más importantes se les trata de «señor».	☐	☐
3. Los primeros días de clase es mejor decir «profesor».	☐	☐
4. Si dices «profesor», tienes que hablar en la forma usted.	☐	☐
5. En el mundo del trabajo siempre se habla de usted.	☐	☐
6. Se utiliza «señor + apellido».	☐	☐

5 Competencia fonética y ortográfica: la unión de vocales en la cadena hablada.

La unión de vocales.

44

a. Lee estas frases y escucha los fragmentos.

1. Juancho se h**a** **e**nfadado porque sus compañeros s**e** **ha**n reído d**e** **é**l.
2. A m**i** **a**buela no le gust**a** **e**l arte moderno.
3. Después de mucho discutir sobr**e** **e**l nuevo contrato tuve que ceder **y** **a**ceptar su propuesta.

– Escucha otra vez y repite.

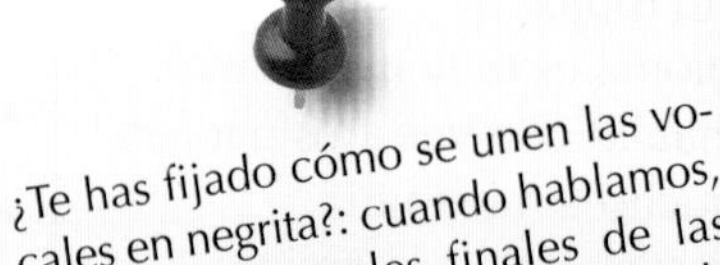

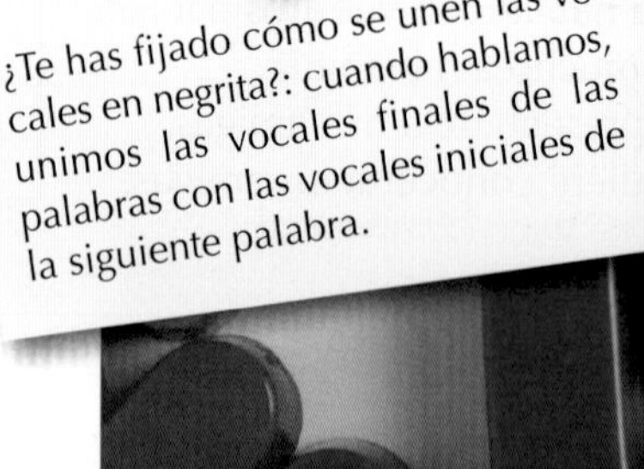

¿Te has fijado cómo se unen las vocales en negrita?: cuando hablamos, unimos las vocales finales de las palabras con las vocales iniciales de la siguiente palabra.

Ahora tú.

b. Lee estas frases en voz alta y después compáralas con el audio.

1. N**o** **e**stá permitido fumar en l**a** **e**mpresa.
2. ¿Sabes s**i** **a** Juan l**e** **ha**n subid**o** **e**l sueldo?
3. S**é** **i**nglés perfectamente **y** **u**n poco d**e** **a**lemán.

Escribes una carta de motivación.

Para conseguir un puesto de trabajo en un país hispanohablante necesitas presentarte a través de una carta de motivación, que puede acompañar tu CV. En esta carta hablas de tu experiencia y también de tus habilidades.

1. Lee esta carta de motivación y haz las siguientes actividades:
   a. ¿Para qué puesto de trabajo se presenta?
   b. Marca con colores diferentes las frases en las que habla de:
      - ✔ su formación
      - ✔ sus conocimientos, habilidades y su experiencia
      - ✔ su forma de ser
   c. Relaciona los fragmentos señalados con las siguientes etiquetas: saludar, dar las gracias, despedirse, firmar, responder a una oferta, ofrecerse para un puesto, hablar de su formación, hablar de su forma de ser.

Madrid, 5 de octubre de 2008

Estimados/as señores/as:

En referencia a su oferta para un puesto de jefe de producto, me pongo en contacto con ustedes para expresarles mi interés en formar parte de su equipo de profesionales porque su empresa es líder en el sector.

Por mi formación en Ciencias Económicas y Empresariales y por mi experiencia en un trabajo similar, me considero totalmente capacitado para el puesto.

Me gusta el trabajo en equipo y conozco las últimas técnicas de ventas, sé hablar inglés (tengo un nivel B2) y un poco de francés (nivel A2) y sé manejar los programas Windows.

Soy un trabajador organizado, eficaz y entusiasta. También soy una persona diplomática y práctica, y sé adaptarme a las nuevas situaciones.

Tengo total disponibilidad para viajar a nivel internacional. Soy muy comunicativo y sé moverme en contextos internacionales y con personas de diferentes culturas.

Quedo a su disposición para una posible entrevista.

Les agradezco de antemano su atención y les saludo cordialmente.

Pedro Calderón

2. Piensa en un trabajo al que quieres acceder según tus estudios, intereses, etc.
3. Escribe una lista de tus habilidades más destacadas.
4. Escribe la carta de motivación con la misma estructura que el modelo y concéntrate en demostrar tus habilidades para conseguir el puesto de trabajo.

Cultura hispánica

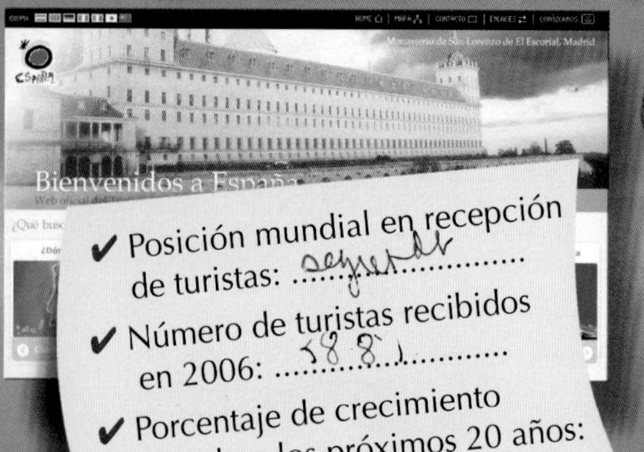

- ✔ Posición mundial en recepción de turistas: ....
- ✔ Número de turistas recibidos en 2006: ....
- ✔ Porcentaje de crecimiento anual en los próximos 20 años: ....

Fuente: www.wikipedia.org

46

1 EL MAPA TURÍSTICO DE ESPAÑA.

Escucha este texto sobre el turismo en España, señala las zonas más turísticas en el mapa y completa los datos. ¿Conoces alguno de los lugares más visitados?

2 OTROS TIPOS DE TURISMO.

Además de los destinos turísticos más visitados, España posee una enorme riqueza en otro tipo de turismos, por ejemplo: el turismo gastronómico, el turismo de los Parques Naturales y el turismo de playa y surf.

a. Lee los textos y relaciona cada texto con las fotografías; pon un título a cada imagen.

Fuente: www.spain-info

1 El primer Parque Nacional español: Picos de Europa

El de Picos de Europa, en el norte, es el primer Parque Nacional de España. Este espacio natural ha sido declarado por la UNESCO en 2002 Reserva de la Biosfera y tiene una superficie de 64.660 hectáreas. En esta cordillera existen 200 montañas de más de 2.000 metros. En la parte central se encuentran las mayores altitudes y los famosos Lagos de Covadonga.

Por el parque pasan cuatro ríos. En él se encuentran los mejores bosques atlánticos de España. Hay muchos tipos diferentes de árboles. En el valle, viven numerosas especies animales. Los Picos de Europa incluyen tres provincias: Asturias, Cantabria y León. Son localidades en las que se podrá disfrutar de un excelente turismo cultural, con iglesias románicas y pueblos de montaña.

Mosaico de culturas y civilizaciones.

2 La Costa de la Luz: Cádiz

Sol en invierno y en verano. Naturaleza casi virgen, dunas y pinares que llegan hasta el mar. *Windsurf* y *kitesurf* en unas aguas transparentes, que son el mejor escenario para los deportes náuticos. Playas inmensas de arena fina y blanca. Pequeñas playas. Campos de golf. Pueblos y ciudades con una historia milenaria. Son 260 kilómetros de litoral. El océano Atlántico y el mar Mediterráneo bañan esta provincia andaluza, rica en espacios naturales protegidos. Aquí va a encontrar también pequeños pueblos marineros y pescadores, con sus casitas de color blanco y sus calles para pasear con tranquilidad. En ellos podrá disfrutar de sus comercios de artesanía, restaurantes donde probar un excelente pescado fresco y marisco de la zona, y terrazas al aire libre durante gran parte del año.

¿Dónde quiere ir?

3 Ruta del aceite de Priego, en Córdoba

Le invitamos a descubrir una de las zonas más bellas de Andalucía, en la que se produce un aceite excelente, con Denominación de Origen. Caminando por las calles, plazas y rincones de sus pueblos, podemos descubrir un pasado rico y diverso. Unos pueblos muy bonitos, con sus gentes amables, unos paisajes para el recuerdo. Usted podrá conocer y degustar los excelentes aceites virgen extra y su aplicación en la gastronomía local, con gente de la zona.

Durante la recolección de la aceituna (de noviembre a febrero), podemos ampliar la ruta con una visita a una finca, visitas culturales, comidas temáticas y visita a fábricas de aceite.

El turismo en España

a. Texto ..3....

b. Texto .1.......

c. Texto ..3....

d. Texto ..2....

e. Texto ..2....

f. Texto ..1....

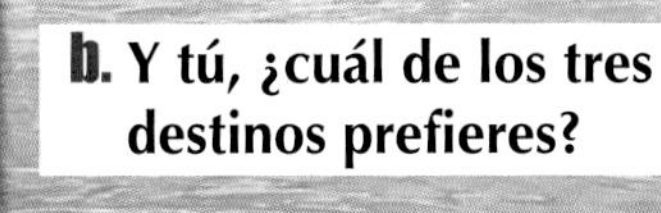

b. **Y tú, ¿cuál de los tres destinos prefieres?**

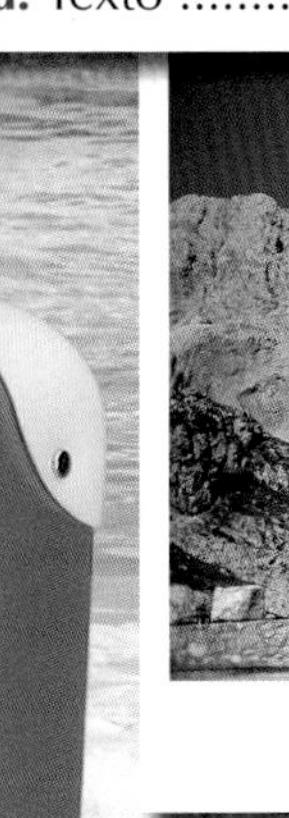

¿Dónde podemos hacerlo?

a. Practicar surf ....2....
b. Practicar montañismo ....1....
c. Hacer fotografía ....1, 2, 3....
d. Montar a caballo ..1, 2....
e. Disfrutar del campo ....1, 2....
f. Degustar especialidades gastronómicas ....1, 2, 3....
g. Bañarse y tomar el sol ....2....

3 **EL MAPA TURÍSTICO DE TU PAÍS.**
Dibuja el mapa de tu país e indica los lugares más turísticos. Escribe un texto explicando qué se puede hacer y cuáles son los atractivos turísticos.

ENFOQUE arte

Peine del Viento San Sebastián

Eduardo Chillida

Eduardo Chillida es escultor y es considerado el máximo representante del arte contemporáneo español. Nació en 1924 en San Sebastián. Después de abandonar sus estudios de Arquitectura en Madrid, hace sus primeras esculturas y a partir de los años 50, los primeros trabajos abstractos en hierro. Sus obras, generalmente, son de grandes dimensiones y están realizadas en su mayoría de hierros y granitos. Han sido exhibidas por todo el mundo. Chillida murió en 2002. Cuenta con un reconocimiento internacional y posee una larga lista de premios: el Nina Kandinsky (1960), el Príncipe de Asturias de las Artes (1987), etc. En el año 1999, el Museo Guggenheim Bilbao celebró el 75.º aniversario del escultor con una interesante retrospectiva de más de doscientas obras.

El *Peine del Viento* (1977) es la obra más importante y popular del escultor. Es un conjunto de tres esculturas de acero incrustadas en las rocas del mar, situadas en San Sebastián. Las esculturas están formadas por varios brazos que se entrelazan y parecen peinar el viento, creando un juego entre el mar, el viento y el arte. La obra de Eduardo Chillida está estrechamente vinculada con la música y esa relación se ve claramente en el *Peine del Viento*. Las tres piezas recuerdan por su forma y ubicación a antenas instaladas en la roca, que absorben el movimiento y las vibraciones del viento y del mar.

1. Describe la imagen del *Peine del Viento*. ¿Dónde se sitúa? ¿Qué elementos la componen?

2. Explica el significado que tiene la escultura para su autor y qué quiere expresar con ella.

3. Imagina otro nombre para esa escultura.

→ Busca información sobre Chillida y el *Peine del Viento* en Internet, y amplía las informaciones sobre el autor y sus obras.

→ Chillida creó también un museo: «Un día soñé una utopía: encontrar un espacio donde pudieran descansar mis esculturas y que la gente caminara entre ellas como por un bosque». Ese es el Museo Chillida-Leku. Busca información en Internet sobre este museo, prepara una presentación virtual y muéstrala a tus compañeros. www.eduardo-chillida.com

Ámbito Académico

Portfolio: evalúa tus conocimientos.

Después de hacer el módulo 4

Fecha: ....

Nivel alcanzado

Insuficiente | Suficiente | Bueno | Muy bueno

Comunicación

- Puedo expresar la opinión y reaccionar.
Escribe las expresiones:

* Si necesitas más ejercicios, ve al punto 1 del Laboratorio de Lengua.

- Puedo expresar acuerdo y desacuerdo.
Escribe las expresiones:

* Si necesitas más ejercicios, ve al punto 2 del Laboratorio de Lengua.

- Puedo hablar sobre la habilidad para hacer algo.
Escribe las expresiones:

* Si necesitas más ejercicios, ve al punto 3 del Laboratorio de Lengua.

Gramática

- Sé utilizar los comparativos y superlativos.
Escribe algunos ejemplos:

* Si necesitas más ejercicios, ve al punto 4 del Laboratorio de Lengua.

- Sé usar los pronombres posesivos.
Escribe algunos ejemplos:

* Si necesitas más ejercicios, ve al punto 5 del Laboratorio de Lengua.

- Sé utilizar los verbos irregulares en presente.
Escribe algunos ejemplos:

* Si necesitas más ejercicios, ve al punto 6 del Laboratorio de Lengua.

Vocabulario

- Conozco el vocabulario para hablar sobre la comunicación intercultural.
Escribe las palabras que recuerdas:

* Si necesitas más ejercicios, ve al punto 7 del Laboratorio de Lengua.

- Conozco el vocabulario para hablar de viajes.
Escribe las palabras que recuerdas:

* Si necesitas más ejercicios, ve al punto 8 del Laboratorio de Lengua.

- Conozco el vocabulario para hablar de los títulos y las profesiones.
Escribe las palabras que recuerdas:

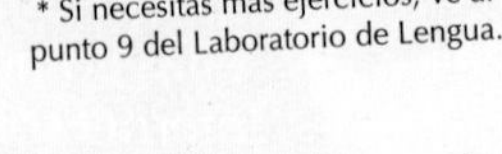

* Si necesitas más ejercicios, ve al punto 9 del Laboratorio de Lengua.

LABORATORIO DE LENGUA

Comunicación

1. Expresar la opinión y reaccionar.

a. **Completa con:** ***En mi opinión, ¿En serio?, Creo…, ¿Sabes qué?***

¿…………? El Ayuntamiento ofrece pisos en alquiler para jóvenes por 500 euros.

¿……….?

Sí, de verdad. ……………… que es una idea estupenda.

Sí, yo también. …………, el Estado tiene que ayudar a los jóvenes.

2. Expresar acuerdo y desacuerdo.

47

a. **Escucha y escribe el tema junto a la correspondiente reacción. Luego marca si estás de acuerdo o no.**

	Estás de acuerdo	No estás de acuerdo
1. • ………………………………………		
• ¿500? ¿De verdad? ¡Qué horror! Están completamente locos.	☐	☐
2. • ………………………………………		
• Pues a mí me parece estupendo. Es joven, con carisma… creo que va a motivar mucho a los jugadores.	☐	☐
3. • ………………………………………		
• En mi opinión, es una decisión muy buena. No podemos vivir siempre con nuestros padres.	☐	☐
4. • ………………………………………		
• A mí me parece normalísimo. Fumar donde hay muchos no fumadores es lo que no me parece normal.	☐	☐
5. • ………………………………………		
• Por fin… Es fantástico, ¡qué bien! Si no hay medicamentos accesibles para los pobres, la enfermedad se va a extender cada vez más.	☐	☐
6. • ………………………………………		
• Es increíble, no me lo puedo creer. Es que las empresas no se dan cuenta de lo importante que es el papel de la mujer en la sociedad.	☐	☐

3. Hablar sobre la habilidad para hacer algo.

a. **Pregunta a tres personas de la clase las cosas que saben hacer... Escríbelas sin indicar su nombre y tu compañero/a adivina de quién se trata.**

Sabe japonés, sabe preparar sushi, sabe...

IDIOMAS:

→ chino, español, alemán, francés, tailandés, inglés, italiano, swahili…

HABILIDADES:

→ juegos, deportes, música, técnica…

COCINA:

→ tortilla de patata, paella, un plato típico de tu país, algún plato oriental, indio, mexicano, de algún país hispano…, alguna especialidad.

Gramática

4. Comparativos y superlativos.

a. Compara estos ordenadores portátiles. ¿Cuál es el mejor? ¿Cuál es el peor?
El... es mejor que el... porque...

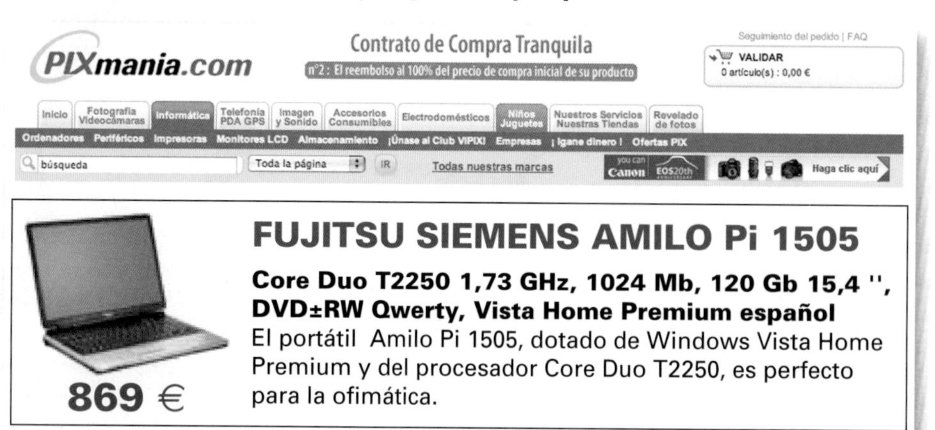

FUJITSU SIEMENS AMILO Pi 1505

Core Duo T2250 1,73 GHz, 1024 Mb, 120 Gb 15,4 ", DVD±RW Qwerty, Vista Home Premium español
El portátil Amilo Pi 1505, dotado de Windows Vista Home Premium y del procesador Core Duo T2250, es perfecto para la ofimática.

869 €

PACKARD BELL EasyNote MX45P030VP

Core 2 Duo T5200 1,6 GHz, 2048 Mb, 120 Gb 15,4 ", DVD±RW Qwerty, Vista Home Premium español
Con el ordenador portátil EasyNote MX45P030VP, dispondrá de un centro de ocio multimedia y de trabajo portátil.

969,24 €

SONY VAIO VGNC2SH

Core 2 Duo T5500 1,66 GHz, 1024 Mb, 120 Gb 13,3", DVD±RW Qwerty, Vista Home Premium español
Déjese seducir por la gama VAIO de Sony adoptando el PC portátil VGNC2SH. Este ordenador posee un procesador Intel Core 2 Duo, el más potente del mercado.

1.211 €

HP Pavilion DV2268EAVP

Core 2 Duo T5500 1,66 GHz, 1024 Mb, 160 Gb 14,1", DVD±RW Qwerty, Vista Home Premium español
Completo y eficaz, el ordenador portátil Pavilion DV2268EAVP es un ordenador ideal para el trabajo o el ocio digital.

1.177,24 €

5. Los pronombres posesivos.

48

a. Juan y Rosa se separan y hablan sobre sus pertenencias. Escucha el diálogo y escribe con qué se queda cada uno.

- → DVD
- → Discos
- → Bicicleta
- → Equipo de música
- → Cama
- → Televisor
- → Coche
- → Moto

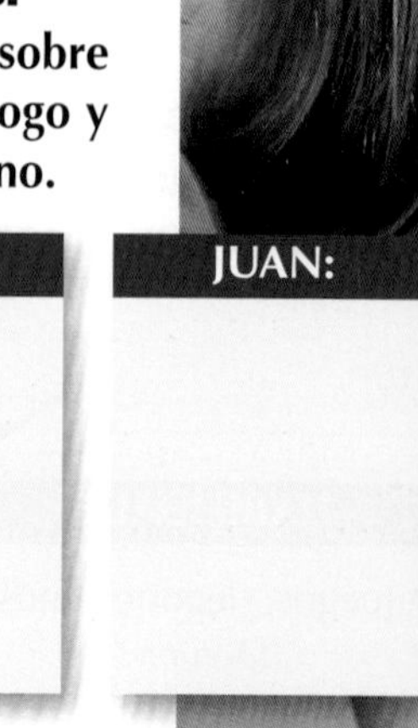

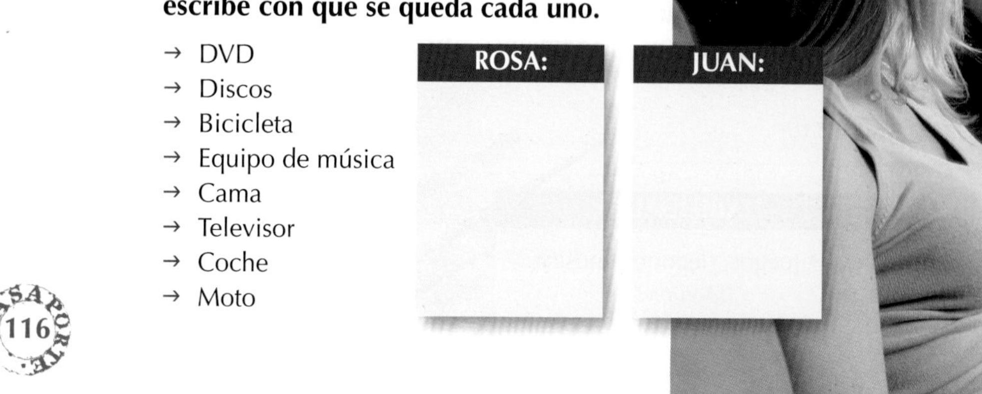

6. Los verbos irregulares en presente.

a. Escribe estos verbos en la persona singular o plural correspondiente.

1. prefieres	*preferís*	9. podéis	....	17. tiene	....
2. decimos	*digo*	10. salís	....	18. puedo	....
3. dice	....	11. preferís	....	19. vienes	....
4. hacéis	....	12. repite	....	20. pueden	....
5. tenemos	....	13. venís	....	21. pedís	....
6. vienen	....	14. hago	....	22. repetimos	....
7. digo	....	15. pido	....	23. salgo	....
8. tengo	....	16. prefieren	....	24. pide	....

Vocabulario

7. La comunicación intercultural.

49

a. Escucha esta historia y contesta a las preguntas.

1. ¿Qué tipo de relación tienen estas personas?
2. ¿De qué país es cada persona?
3. ¿Tienen conflictos? En caso afirmativo, ¿de qué tipo?
4. ¿Han solucionado sus conflictos interculturales?

8. Los viajes.

a. Relaciona los dibujos con las siguientes palabras y escríbelas debajo.

→ Hotel
→ *Camping*
→ Casa rural
→ Apartotel
→ Parador Nacional

Los Paradores Nacionales son hoteles de alta categoría que pertenecen al Estado español. Siempre están situados en edificios antiguos y de gran valor histórico y arquitectónico.

b. Lee este texto y escribe la forma completa de las abreviaturas.

VIAJE A SAN SEBASTIÁN
Grupo: mín. 4, máx. 15 personas.
Transporte: vuelo Madrid-San Sebastián i/v.
Traslados: en autobús del aeropuerto al hotel i/v.
Alojamiento: Habitación individual o habitación doble con MP, PC o AD.

1. mín. ....
2. máx. ....
3. i/v ....
4. MP ....
5. PC ....
6. AD ....

9. Los títulos y las profesiones.

a. Relaciona las siguientes profesiones con sus lugares de trabajo.

1. Ingeniera Aeronáutica
2. Ginecólogo
3. Sociólogo
4. Licenciada en Ciencias Ambientales
5. Psicólogo
6. Biólogo

a. Centro de Terapias Familiares
b. Hospital de La Paz
c. CASA (Construcciones Aeronáuticas)
d. Instituto Nacional de Estadística
e. Fundación Greenpeace
f. Oceanográfico de Valencia

b. Escribe la forma completa de las siguientes abreviaturas que se usan habitualmente.

1. Ing.	....	3. Dra.	....	5. Prof.	....
2. Dr.	....	4. Dir. Gral.	....	6. Ayte. de Dirección	....

Módulo 5

Ámbito Personal

Cuentas acontecimientos de tu vida en tu *blog*.

- **Competencia gramatical:** el imperfecto.
- **Competencia léxica:** la casa.
- **Competencia funcional:** describir las circunstancias que rodean los acontecimientos en pasado.
- **Competencia fonética y ortográfica:** los diptongos y los hiatos.
- **Competencia sociolingüística:** demostrar interés en un relato.

Ámbito Público

Cuentas cómo era tu vida de pequeño y cómo es ahora.

- **Competencia léxica:** las características de la vivienda.
- **Competencia sociolingüística:** los comportamientos relacionados con la vivienda en España.
- **Competencia funcional:** alquilar o comprar un piso.
- **Competencia gramatical:** uso del imperfecto (antes y ahora).
- **Competencia fonética y ortográfica:** los triptongos.

Ámbito Profesional

Preparas una entrevista de trabajo.

- **Competencia funcional:** hablar de acciones y de descripciones.
- **Competencia gramatical:** contraste de los pasados.
- **Competencia fonética y ortográfica:** la *b* y la *v*.
- **Competencia léxica:** los profesionales del cine.
- **Competencia sociolingüística:** las profesiones en femenino.

Cultura hispánica

El cine hispano.

- Actores hispanos.
- Algunas películas hispanas conocidas internacionalmente.
- El Festival de Cine de San Sebastián.

Enfoque arte

La arquitectura contemporánea: F. O. Gehry, *el Guggenheim*, Bilbao.

Ámbito Académico

Portfolio: evalúa tus conocimientos.
Laboratorio de Lengua: refuerza tu aprendizaje.

describir el entorno

Ámbito Personal

Acción **Cuentas acontecimientos de tu vida en tu blog.**

Vamos a aprender a:
describir las circunstancias que rodean los acontecimientos del pasado.

a. Aquí tienes una entrevista con dos mujeres argentinas. Léela y responde a las preguntas.

LANACION·com
Centro del lector
Ingresar | Registrarse
Buscar
Buscador avanzado | Archivo

Noticias | Deportiva | Entretenimientos | Tecnología | Opinión | Edición impresa | Autos · Empleos · Clasificados · Inmuebles | ADN Cultura

Sábado 10.11.2007 Actualizado 16:02 (hace 2 min) | BUE T: 15° ST: 16° H: 67% Pronóstico | Tránsito

ARCHIVO. Sábado, 7 de mayo de 2005

UN SALTO DE LA CIUDAD AL CAMPO

LA NACIÓN entrevistó a dos mujeres que, cuando se casaron, dejaron carreras exitosas y el confort de Buenos Aires por la paz del campo.

Vivían en Buenos Aires con sus familias, amigos y trabajos, se casaron y se fueron a vivir al campo. Fue un cambio importante, porque empezaron de cero: encontrar casa, conocer gente nueva y sus costumbres.
Amalia Aramburu tiene 34 años, está casada y tiene tres hijos. En Buenos Aires, Amalia trabajaba en una empresa como administrativa. Entonces tuvo la posibilidad de ir a vivir al interior y se fue con su marido al campo. Desde el principio Amalia colaboró con el marido, pero buscó una ocupación propia. Así, por casualidad, comenzó a dar clases de inglés en el colegio del pueblo. Amalia dice que las ventajas del cambio son dedicar tiempo a la familia, tener contacto con la naturaleza y realizar actividades enriquecedoras. «En Buenos Aires apenas tenía tiempo de llevar a los chicos al médico».
Ana Garat también tiene 34 años, está casada y tiene una hija de dos años y medio. Antes de su matrimonio, Ana trabajaba en la edición *on-line* de un importante diario. «Cuando me casé, me fui a un pueblo y renuncié a mi trabajo. Entonces mi jefa me propuso trabajar desde donde estaba. Estoy a favor de vivir en el campo porque es bárbaro para la educación de los chicos. Todos los días vamos con mi hija a despedir el sol y le dice: "hasta mañana, sol; hola, luna". Son detalles que forman parte de mi vida diaria».

(Texto adaptado, **Marina Huergo**) Link permanente: http://www.lanacion.com.ar

1. Nombre de las mujeres: ....
2. Profesión en Buenos Aires: ....
3. Ocupación actual: ....
4. ¿Qué piensan de la vida en el campo en comparación con la vida en la ciudad?: ....

1 Competencia gramatical: el imperfecto.

Indefinido e imperfecto.

a. Lee otra vez la entrevista, subraya los verbos que están en indefinido y escribe el infinitivo de cada uno de ellos:

Se fueron a vivir al campo → *Irse*

– Hay otro tiempo del pasado en el texto. Subraya las formas que te resultan nuevas.

Indefinido	Infinitivo
se fueron	*irse*

Vivía en Buenos Aires.

b. Este tiempo nuevo es el pretérito imperfecto. Esta es la conjugación regular. Completa el cuadro.

	Trabajar	Tener	Vivir
Yo	*trabajaba*	....	*vivía*
Tú	....	*tenías*	....
Él, ella, usted	*trabajaba*	....	*vivía*
Nosotros, nosotras	....	*teníamos*	....
Vosotros, vosotras	*trabajabais*	....	....
Ellos, ellas, ustedes	....	*tenían*	*vivían*

– Hay solo tres verbos irregulares en imperfecto.

Ser	Ir	Ver
era	*iba*	*veía*
eras	*ibas*	*veías*
era	*iba*	*veía*
éramos	*íbamos*	*veíamos*
erais	*ibais*	*veías*
eran	*iba*	*veían*

Conjugando.

c. Di las personas en singular de los verbos que están debajo. Tu compañero/a las dice en plural. Después, cambiáis.

Trabajar, comer, ver, ir, escribir, decir, ser, estudiar.

2 Competencia léxica: la casa.

Un piso de dos dormitorios.

a. Escribe en el plano el nombre de cada habitación.

El dormitorio
El salón
La cocina
El cuarto de baño
El pasillo
El comedor
La terraza

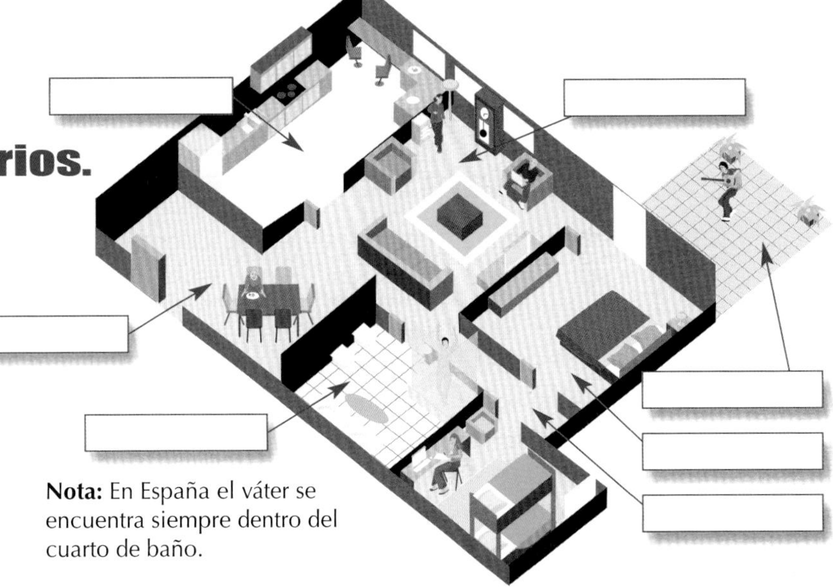

Nota: En España el váter se encuentra siempre dentro del cuarto de baño.

El plano de tu casa.

b. Describe a tu compañero cómo es tu casa.

Ejemplo: mi piso tiene un salón grande, 2 dormitorios, una cocina y un baño. Tiene 70 m^2. Está en la segunda planta, es exterior y tiene ascensor.

Describir un piso

- ✔ Tiene 2 dormitorios.
- ✔ Tiene 50 m^2.
- ✔ Es exterior / interior.
- ✔ Tiene ascensor.
- ✔ Está en la 3.ª planta.

3 Competencia funcional: describir las circunstancias que rodean los acontecimientos en pasado.

La casa era mucho más pequeña.

a. Escucha este diálogo entre una persona que vive en el campo y un amigo y responde a las preguntas.

1. ¿Cómo era el piso de Madrid?
   ....
   ....
2. ¿Cómo era su vida y qué querían?
   ....
   ....
3. ¿Qué hicieron?
   ....
   ....

Describir las circunstancias alrededor de una acción

Vivíamos *en un piso de 60 metros…*
Estaba *muy estresado...*
... no ***tenía*** *tiempo para los niños ni para nada.*
... todo ***era*** *muy caro…*

Yo y mis circunstancias.

b. Como ves, Alberto y Luisa cambiaron de vida, se fueron de la ciudad a un pueblo. Observa.

Expresar acciones y acontecimientos

... así que ***dejamos*** *nuestros trabajos,* ***alquilamos*** *el piso a unos amigos y nos* ***vinimos*** *aquí, al pueblo de mi mujer.*

¿Cómo vivíais en Madrid?

c. Lee el diálogo entre Alberto y su amigo y completa en la página siguiente las circunstancias que están alrededor de lo que hicieron.

- ¿Cómo vivíais en Madrid?
- Pues vivíamos en un piso de 60 m^2, con 2 dormitorios pequeñitos, una cocina muy sencilla, un salón y un baño. Imagínate vivir así 5 personas, con 3 niños.
- ¡Qué horror! Además seguro que trabajabas muchísimo.
- Sí, estaba muy estresado, no tenía tiempo para los niños ni para nada. Moverse por Madrid era complicado, ya sabes, el tráfico, los autobuses llenos…
- Sí, es verdad.
- Los niños no podían salir a la calle a jugar, Luisa trabajaba incluso los fines de semana… y estábamos muy nerviosos. Queríamos otro tipo de vida, así que dejamos nuestros trabajos, alquilamos el piso a unos amigos y nos vinimos aquí, al pueblo de mi mujer.
- ¿Fue un cambio muy grande?
- ¡Uf! Sí. Cuando nosotros llegamos aquí, nos parecía que teníamos demasiado tiempo.
- ¿Ah, sí?
- Sí, sí… Pero luego empezamos a trabajar y nos acostumbramos a este ritmo de vida, más tranquilo.
- ¿Y encontrasteis casa en seguida?
- Sí, muy rápido. Y mira qué casa: grande, con jardín, tranquila… y barata.
- ¡Es fantástico!

(circunstancia)
Vivíamos en un piso de 60 m^2.

(circunstancia)
....

Acciones:
... dejamos nuestros trabajos, alquilamos el piso a unos amigos y nos vinimos aquí.

(circunstancia)
Queríamos otro tipo de vida.

(circunstancia)
....

(circunstancia)
....

1. Yo vivía en ....
2. Era un barrio muy ....
3. Tenía una casa ....
4. Entonces, en el año .... me mudé ....

¿Y tú?

d. ¿Has cambiado de ciudad o de barrio alguna vez? Cuéntale a tu compañero cómo era tu vida allí y qué pasó, por qué te cambiaste, y qué decisiones se tomaron.

4 Competencia fonética y ortográfica: los diptongos y los hiatos.

Lo sabía.

51

a. Escucha estas parejas de palabras. ¿Cuál es la diferencia entre una y otra?

1. sabia	☐	sabía	☐
2. media	☐	medía	☐
3. tenía	☐	tenia	☐
4. hacia	☐	hacía	☐
5. sería	☐	seria	☐

La sabia lo sabía.

b. Escucha y marca cuál oyes.

¿Diptongo o hiato?

c. Subraya los diptongos de las palabras de a., y léelas en voz alta.

- ✔ La **i** o la **u**, **sin acento**, delante o detrás de **a, e, o, u, i,** forman un **diptongo** con la otra vocal, es decir, se une a ella y se pronuncian en la misma sílaba.
- ✔ La **i** y la **u** juntas también son diptongo, es decir, se pronuncian unidas.
- ✔ Cuando el acento pronunciado está sobre la **i** o la **u** de un **diptongo**, este se rompe y las dos vocales dejan de pronunciarse en la misma sílaba: esto se llama **hiato**.
- ✔ En este caso, además, el acento se escribe.

En voz alta.

d. Lee en voz alta.

decía, todavía, piano, hacía, varias, pastelería, media, decías, papelería, gracias, sandía, filosofía, sabia, ortografía, farmacia, decía, hacia.

5 Competencia sociolingüística: demostrar interés en un relato.

¡Qué casualidad!

a. Aquí tienes una lista de expresiones que se utilizan para reaccionar cuando otra persona cuenta algo. Escucha los siguientes diálogos y subraya las que oyes.

Cuéntame.

b. Clasifica las expresiones.

Mostrar interés	Expresar sorpresa	Expresar emociones

Ahora tú.

c. Cuéntale algo que te ha pasado a tu compañero. Este va a reaccionar como un español.

Cuentas acontecimientos de tu vida en tu blog.

Seguramente en algún momento tu vida ha cambiado y quieres explicar cómo eran las cosas antes y cómo son ahora.

En tu *blog* cuenta algunos acontecimientos de tu vida para compartirlos con otras personas.

Rellena el cuadro con las circunstancias y las acciones y después escribe tu historia.

ACCIÓN	CIRCUNSTANCIA

Comentarios (21) | Comentar | Enviar

« Anterior 1 2 3 Siguiente »

Ámbito Público

Acción **Cuentas cómo era tu vida de pequeño y cómo es ahora.**

Vamos a aprender a:
hablar de acciones habituales en el pasado, comparándolas con el presente.

Estas fotos son de lugares de Madrid en diferentes épocas. Descríbelas.

Antes había...
Ahora hay...

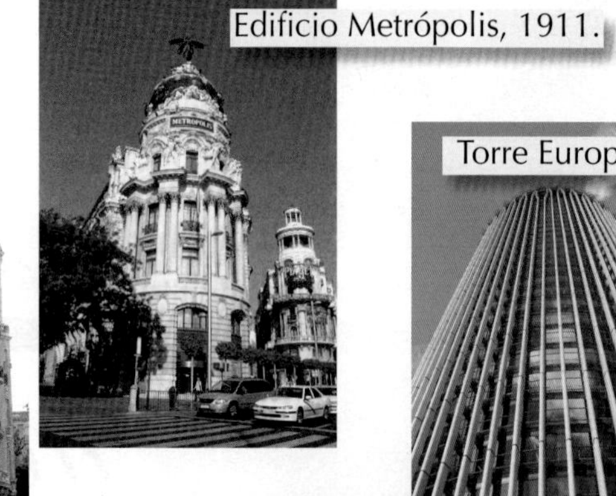

Edificio Metrópolis, 1911.

Edificio Plus Ultra, 1910.

Torre Europa, 1985.

Plaza de Colón, año 1910.

Plaza de Colón, en la actualidad.

Torres Puerta de Europa, 1996.

1 Competencia léxica: las características de la vivienda.

Tipos de vivienda en España.

a. Estos son los tipos más frecuentes de vivienda en España. Asocia el dibujo con la definición.

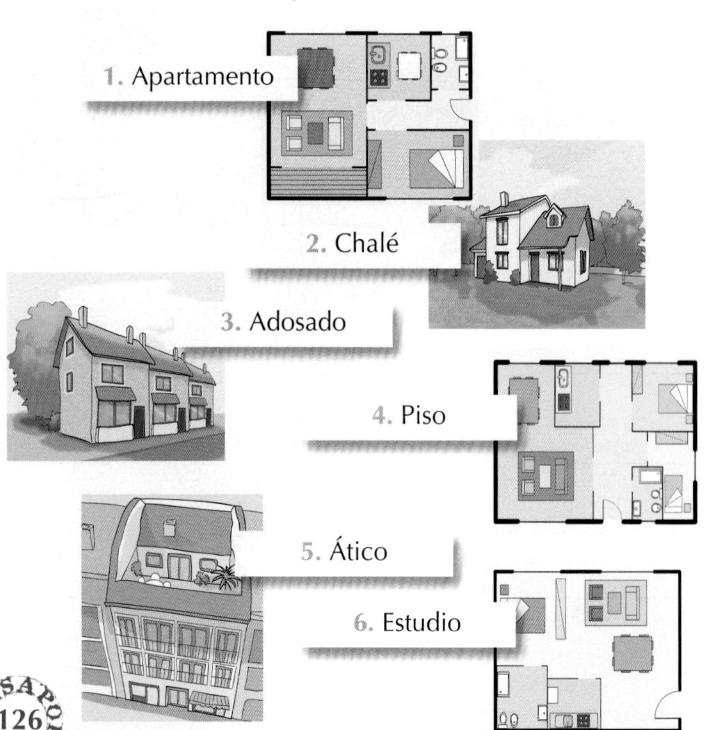

a. Tiene más de 50 m² y 2 o más dormitorios. Normalmente es urbano y en él viven familias medianas o grandes. A veces tiene zonas comunes con piscina, parque para los niños y garaje para el coche.
b. Es más pequeño que el piso y tiene un solo dormitorio.
c. Es ideal para personas que viven solas. Tiene entre 25 y 40 m² y un único espacio.
d. Es una vivienda independiente con jardín. Normalmente está en zonas residenciales, lejos del centro o en el campo. Muchas veces es una segunda residencia para pasar el fin de semana y los veranos.
e. Es un piso. Se sitúa en la última planta, generalmente tiene una terraza grande. Está en la ciudad.
f. Es una vivienda con jardín. Está junto a otras. Normalmente está en zonas residenciales o en el campo. Tiene garaje.

Se vende.

b. Lee estos anuncios de alquiler o venta de viviendas y completa el cuadro.

datos inmueble | visita virtual | fotos | **venta** | contactar

1 Se vende piso de 120 m² en Chamberí, junto a metro Bilbao, edificio antiguo. Renovado, con 3 dormitorios, 2 baños y salón comedor. Exterior, primera planta. Ascensor, calefacción central. Portero físico.
Tel.: 629 11 17 89

datos inmueble | visita virtual | fotos | **venta** | contactar

2 Se vende chalé de 300 m² en Villanueva del Pardillo. Totalmente nuevo. Dos plantas y garaje, 3 dormitorios, 2 baños y un aseo. Jardín de 60 m², chimenea y zonas comunes con piscina y pista de tenis. Buena comunicación con Madrid. Instalación de energía solar.
Tel.: 647 26 58 17

datos inmueble | visita virtual | fotos | **alquiler** | contactar

3 Se alquila estudio céntrico y bien comunicado. 4.º piso con ascensor. Interior. Muy tranquilo. Parqué, aire acondicionado, *jacuzzi*, Portero automático. Amueblado.
Tel.: 606 22 11 14

datos inmueble | visita virtual | fotos | **venta** | contactar

4 Se vende apartamento junto a metro Atocha: 40 m², salón y un dormitorio. 1.er piso sin ascensor. Exterior, para reformar.
Tel.: 637 66 00 67

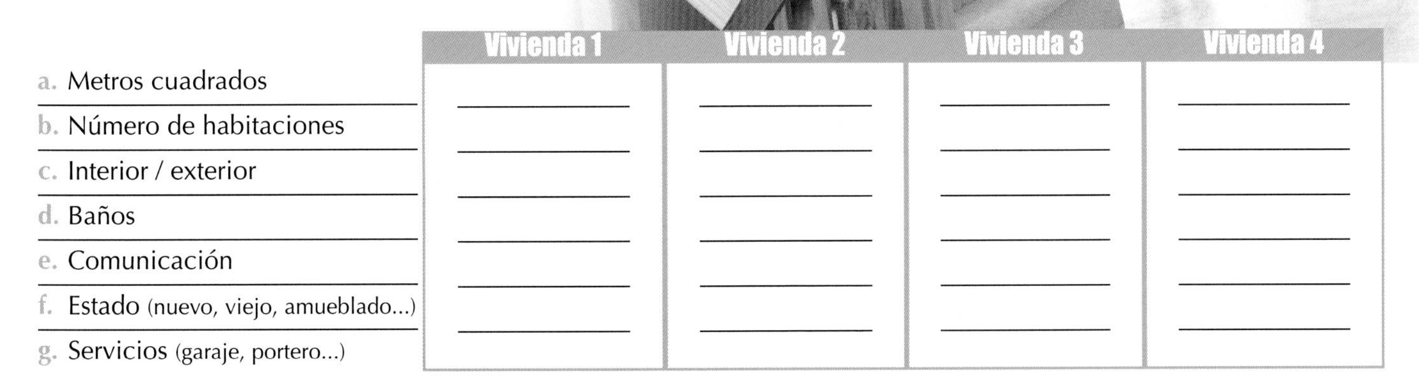

	Vivienda 1	Vivienda 2	Vivienda 3	Vivienda 4
a. Metros cuadrados				
b. Número de habitaciones				
c. Interior / exterior				
d. Baños				
e. Comunicación				
f. Estado (nuevo, viejo, amueblado...)				
g. Servicios (garaje, portero...)				

2 Competencia sociolingüística: los comportamientos relacionados con la vivienda en España.

La vivienda en España.

a. Lee el texto, subraya las ideas más importantes y di qué piensas de esta manera de ver el tema.

«En España la oferta de pisos en alquiler es muy reducida. Solo el 14% de las familias alquilan pisos, muchos menos que Holanda o Alemania, donde más del 60% de las personas alquilan pisos. En España la gente prefiere comprar en vez de alquilar. Sin embargo, comprar un piso en ciudades como Madrid, Barcelona o San Sebastián, por ejemplo, es muy difícil: de 1997 a 2003 los precios han subido un 52%. El 84% de los jóvenes madrileños no tiene el dinero necesario para irse de casa de sus padres y conseguir una vivienda. El porcentaje de vivienda social en España es de tan solo el 20%, frente al 37% de Francia, el 48% de Austria o más del 70% de los Países Bajos y Reino Unido. La razón social que impulsa a los españoles a comprar es que en general las personas de 35/40 años han conseguido la estabilidad económica suficiente para poder hacerlo».

– ¿Cómo es en tu país?

¿Comprar o alquilar?

b. Escribe las ventajas de alquilar o de comprar un piso.

Alquilar	Comprar
- Da más libertad.	*- Da más seguridad.*

¿En tu casa o en la mía?

c. Lee el texto e infórmate.

En España, la casa es un lugar reservado a la familia; es un espacio íntimo que se comparte con personas de la familia o de confianza. Para reunirse con los amigos normalmente la gente queda fuera: en un bar, un restaurante. La vida social es muy importante para relacionarse, pero se hace fuera de casa.

– En otros países es al contrario. ¿Cómo es en tu país?

3 Competencia funcional: alquilar o comprar un piso.

En la agencia inmobiliaria.

53 **a.** Escucha y completa la ficha del piso que quieren.

1. Tipo de vivienda ....
2. Número de dormitorios ....
3. Interior / exterior ....
4. Instalaciones y servicios ....
5. Comprar / alquilar ....
6. Precio ....
7. Fianza ....

Alquilar o comprar

¿Cuánto cuesta el alquiler / el piso?
¿Qué incluye el precio?
¿Tiene plaza de garaje / ascensor / portero automático?
¿Cuántos dormitorios tiene?
¿Están incluidos los gastos de comunidad?
¿Hay que pagar una fianza?

¿Y tu casa?

b. Quieres poner tu casa en venta o alquilarla. Redacta un anuncio.

datos inmueble | visita virtual | fotos | venta | contactar

ampliar

....
....
....
....
....

4 Competencia gramatical: uso del imperfecto (antes y ahora).

Antes...

a. Los abuelos de los alumnos del Colegio Joaquín Turina de Madrid les cuentan a los niños cómo era su ciudad antes.
Lee y contesta a las preguntas.

El Oso y el Madroño.
Puerta del Sol, Madrid.
Símbolo de Madrid.

Don Francisco, 80 años
«En los años 60 mucha gente de los pueblos se vino a la ciudad a buscar trabajo, y empezaron a surgir poblaciones periféricas. La población de Madrid aumentó muchísimo. Las familias eran numerosas, y las madres no trabajaban fuera de casa, pero en casa trabajaban mucho porque no había electrodomésticos».

Doña Lucía, 68 años
«Cuando yo era pequeña, Madrid tenía solo 2 millones de habitantes. Había poco transporte público: 4 líneas de metro y algunos autobuses. No había casi coches. Nosotros teníamos un coche pequeñito en el que cabíamos todos, ¡y éramos 3 hermanos, mis padres y mi abuela! Y los niños podían jugar en la calle. Ahora no pueden, porque es más peligroso».

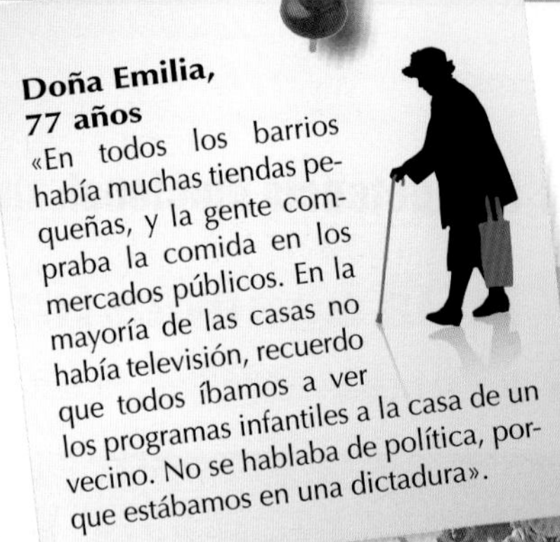

Doña Emilia, 77 años
«En todos los barrios había muchas tiendas pequeñas, y la gente compraba la comida en los mercados públicos. En la mayoría de las casas no había televisión, recuerdo que todos íbamos a ver los programas infantiles a la casa de un vecino. No se hablaba de política, porque estábamos en una dictadura».

1. ¿Cuántos habitantes tenía Madrid en la época de doña Lucía?.....................................
2. ¿Cómo dice don Francisco que eran las familias?...
3. ¿Qué tipos de tiendas había?...
4. ¿Por qué aumentó en la época de don Francisco la población de Madrid?.................
5. ¿En qué régimen político vivían?..

Antes no había coches.

b. ¿Cómo era tu ciudad o pueblo hace 30 años? ¿Vivía menos gente, había menos coches? ¿Había más o menos tiendas que hoy?, etc.

Cuando hablamos del pasado, describiendo lo que se hacía, cómo eran las cosas etc., y lo comparamos con el presente, usamos:

***ANTES* + IMPERFECTO** ***AHORA* + PRESENTE**

¿Qué hacías de pequeño?

c. ¿Cómo era tu vida cuando eras pequeño/a, qué hacías? ¿Qué diferencias hay con lo que hacen ahora los niños y niñas?

Antes... **Ahora...**

***Antes** los niños podían jugar en la calle. **Ahora** no pueden, porque es más peligroso.*

5 Competencia fonética y ortográfica: los triptongos.

¿Trabajáis o estudiáis?

a. Tu profesor lee estas palabras y tú repites. Después escucha. ¿Cuál oyes?

1. limpias	☐	limpiáis	☐
2. estudias	☐	estudiáis	☐
3. desprecias	☐	despreciáis	☐
4. continúas	☐	continuáis	☐
5. copias	☐	copiáis	☐

El triptongo.

b. Ahora léelas en voz alta en el orden que quieras: tu compañero/a marca cuál dices.

Triptongo

Tres vocales juntas **a, o, e** en el centro y **u** o **i** al principio y al final se pronuncian en una sílaba, si el acento (pronunciado o escrito) está en la **a, o, e**, esto se llama **triptongo**.

Decíais.

c. Escucha y escribe:

1. ....
2. ....
3. ....
4. ....
5. ....
6. ....

Cuando el acento (pronunciado o escrito) está en la **u** o en la **i**, el triptongo se rompe y la vocal acentuada queda en otra sílaba. En este caso, como en el caso de los diptongos, el acento se escribe.

Cuentas cómo era tu vida de pequeño y cómo es ahora.

Busca en la clase a otras personas de tu edad y habla con ellos:

¿Cómo son las personas de tu edad: independientes, rebeldes, pasivas? ¿Cómo era tu vida cuando eras más pequeño? ¿Qué cosas no podías hacer antes y puedes hacer ahora? ¿Qué diferencia hay en tus horarios y en tus actividades sociales? ¿Cómo era la relación con tus padres y cómo es ahora?

antES ahORa

Escribe un artículo sobre el cambio en la vida de los niños y jóvenes en tu país.

....

....

....

....

....

....

....

....

....

....

....

Ámbito Profesional

Acción **Preparas una entrevista de trabajo.**

Vamos a aprender a:

hablar de tu vida pasada y de tu experiencia.

a. Lee el anuncio y di cómo tiene que ser el candidato al puesto: estudios, experiencia y características personales.

comerciales es

Ofertas de empleo para comerciales | Ofertas de empleo | Área de empresas | Alertas | Correo gratis | Publicar oferta

Inmobiliaria busca	**JEFE/A DE VENTAS**
Descripción de la oferta:	Buscamos una persona con experiencia en el sector inmobiliario con capacidad para formar, motivar y dirigir un equipo.
Estudios mínimos:	Licenciado en Derecho o en Ciencias Económicas.
Experiencia mínima:	3 años en el sector.
Requisitos:	Fuerte ambición profesional y económica. Experiencia en la dirección de agentes comerciales. Disponibilidad horaria. Vehículo propio.
Salario:	A negociar según el perfil € bruto/año.
Tipo de contrato:	Indefinido.
Jornada:	Completa.
Comisiones:	Porcentaje sobre ventas.

56

b. Escucha la entrevista de trabajo de una candidata a este puesto y completa la tabla.

	¿Qué hizo de... a...?	¿Qué actividades hacía?
De 1998 a 2000		
De 2000 a 2007		

1 Competencia funcional: hablar de acciones y de descripciones.

Nací en la Mancha.

a. Lee esta autobiografía de Almodóvar y completa la ficha.

AUTOBIOGRAFÍA

© PAOLA ARDIZZONI y EMILIO PEREDA

Nací en Calzada de Calatrava, un pueblo de la Mancha, en 1951. Viví los ocho primeros años de mi vida en mi pueblo natal. Me crié entre mujeres: mis dos hermanas, mayores que yo, mi madre, mis tías, las vecinas, mi abuela... no recuerdo a los hombres: nunca estaban en casa, cuando no trabajaban, iban a los bares. Las mujeres, sin embargo, eran la vida... Las escuchaba contar historias extraordinarias en el patio mientras cosían. Las oía cantar mientras lavaban la ropa en el río. Mi madre me llevaba con ella al río, y aquello para mí era una fiesta.

Después me trasladé con mi familia a un pueblo de Extremadura, de Cáceres, sin dinero. Estudié Bachillerato Elemental y Superior. En Cáceres recibí educación religiosa. A los 11 años, dejé de creer en Dios. El cine ocupó su lugar. Un poco antes descubrí la lectura: me gustaban Julio Verne, Herman Hesse, Lahos Zilahy, Walter Scott... Ya desde pequeño mi espectáculo favorito era oír hablar a las mujeres.

A los 16 años rompí con la familia, que quería buscarme un trabajo en un banco del pueblo, y me vine a Madrid. Trabajaba diariamente en Telefónica, como auxiliar administrativo y Telefónica me daba una información interesantísima sobre la clase media-baja española. Me compré una cámara de Súper 8 y empecé a filmar.

Empecé a relacionarme con el *underground* de Madrid y de Barcelona. Viví intensamente la vida nocturna madrileña desde 1977 hasta 1983: participaba en cosas muy divertidas, hacía fotonovelas, cantaba, bailaba. Escribía en periódicos y revistas, siempre sobre mí o sobre lo que me gustaba. Actuaba con el grupo Almodóvar-MacNamara, en el que hacíamos de todo: pop, rock, rancheras, etc.

Adaptado de *El País Semanal*, 17/10/93

1. Lugar y año de nacimiento: ....
2. Estudios: ....
3. Cambios de lugar: ....
4. Primer puesto de trabajo: ....
5. Actividades artísticas: ....

¿A qué te dedicabas?

b. Observa.

Acciones y acontecimientos en periodos delimitados

✔ ¿Qué **hizo entre 1953 y 1961**? ¿Dónde **estuvo** en ese período?

1953-1961: **Vivió** 8 años en su pueblo.
1961-1969: Desde 1961 hasta 1969 **vivió** en un pueblo de Extremadura. **Estudió** Bachillerato Elemental y Superior. En Cáceres **recibió** educación religiosa.

1977-1983: **Vivió** intensamente la vida nocturna madrileña desde 1977 hasta 1983.

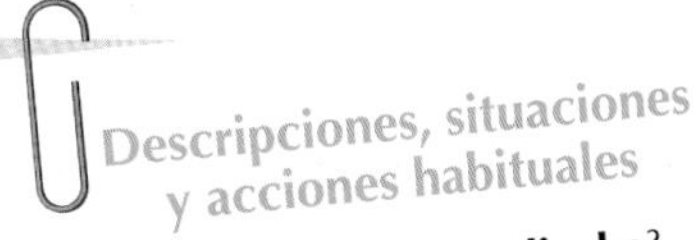

✔ ¿Qué **hacía**? ¿A qué se **dedicaba**?

Escuchaba a las mujeres contar historias, cantar mientras **lavaban** o **tendían** la ropa en el río.

Le **gustaban** Julio Verne, Herman Hesse, Lahos Zilahy, Walter Scott y ya desde pequeño su espectáculo favorito **era** oír hablar a las mujeres.

Participaba en todo lo que **olía** a diversión. **Hacía** fotonovelas, **cantaba**, **bailaba**. Y **escribía** en periódicos y revistas. **Actuaba** con el grupo Almodóvar-MacNamara.

Estudié 5 años en la Universidad.

c. Completa con tus datos.

1. Lugar y año de nacimiento: ....
2. Profesión del padre y de la madre: ....
3. Estudios: ....
   Entre 19... y ....
4. Trayectoria profesional: ....
   Entre 19... y ....
   Entre 19... y ....
   Entre 19... y ....
5. Conocimientos de idiomas: ....
6. Estado civil y n.º de hijos/ as: ....

Recuerdo que comía en el colegio.

d. Cuéntaselo a tu compañero/a. Recuerda qué hacías: dónde comías, qué hacías en tu tiempo libre, cuáles eran tus actividades profesionales habituales, etc.:

Entre 1997 y 2001 estuve en la Universidad, estudié Informática... Iba a clase, aunque no todos los días, iba más a las clases prácticas. Recuerdo que comía en la Facultad...

2 Competencia gramatical: contraste de los pasados.

En aquella época.

a. Relaciona las dos partes para formar frases.

1. Estaba cansado, era muy tarde y al día siguiente tenía que levantarse pronto y...
2. En aquella época veíamos en casa la serie «Misión Imposible» en la televisión en blanco y negro y...
3. Estudié nueve años en la Universidad, entre 1984 y 1993. Tardé tantos años en terminar la carrera porque...
4. En 1999 se casó con un argentino y por eso...
5. Cuando mi padre y mi madre eran pequeños, casi no había coches, así que...
6. Javier se formó durante dos años en Pamplona, se especializó en Pediatría. Y...

a. normalmente iban en tranvía.
b. decidió emigrar a Argentina.
c. se fue a dormir.
d. jugábamos en la calle como todos los niños.
e. trabajó en la misma clínica durante muchos años.
f. no iba mucho a clase y no estudiaba.

¿Y qué pasó?

b. Subraya los verbos anteriores y coloca cada parte de la frase en la columna correspondiente. Explica por qué se trata de circunstancias, acciones, etc.

Circunstancias, descripciones, situaciones y acciones habituales	Acciones y acontecimientos en general. Acciones en periodos delimitados

¿Imperfecto o indefinido?

c. Completa la regla:

Usamos el pretérito imperfecto para:

Usamos el pretérito indefinido para:

Nota: en una misma frase se pueden utilizar los 2 tiempos verbales.
Estaba cansado, era muy tarde y al día siguiente tenía que levantarse pronto y se fue a dormir.

3 Competencia fonética y ortográfica: la b y la v.

¿Be o uve?

a. Escucha estas formas verbales, escríbelas y colócalas en el cuadro.

1. ....
2. ....
3. ....
4. ....
5. ....
6. ....
7. ....
8. ....
9. ....
10. ....
11. ....
12. ....

Imperfecto	Indefinido

✔ Las terminaciones del imperfecto de los verbos en **- AR** se escriben siempre con **b**.

✔ Las terminaciones del indefinido de *estar, andar, tener* (y sus compuestos: *contener, detener, obtener,* etc.) se escriben con **v**.

Ahora escucha.

b. Escucha estos verbos: ¿hay alguna diferencia en el sonido [b] de las diferentes palabras?

4 Competencia léxica: los profesionales del cine.

De película.

a. Relaciona cada palabra con su definición.

1. El actor / la actriz
2. El / la protagonista
3. El / la director/-a de cine
4. El / la productor/-a
5. El / la guionista

a. Persona o empresa que pone dinero para hacer la película.
b. Persona que escribe la historia de una película.
c. Persona que interpreta el personaje más importante de la película o de la obra.
d. Persona que actúa en el cine o en el teatro.
e. Profesional que dirige una película.

La ficha técnica.

b. Aquí tienes la ficha técnica resumida de una película de Almodóvar, *Volver*. Léela y contesta a las preguntas.

1. ¿Quién produce la película?
2. ¿De qué año es?
3. ¿Quién es el guionista?
4. ¿Quién es la protagonista?

Dirección y guión: Pedro Almodóvar.
Año: 2006.
Duración: 110 min.
Género: Comedia dramática.
Interpretación: Penélope Cruz (Raimunda), Carmen Maura (Abuela Irene), Lola Dueñas (Sole), Blanca Portillo (Agustina), Yohana Cobo (Paula), Chus Lampreave (Tía Paula), María Isabel Díaz (Regina), Pepa Aniorte, Yolanda Ramos, Antonio de la Torre, Carlos Blanco.
Producción: Esther García.
Música: Alberto Iglesias.
Fotografía: José Luis Alcaine.
Montaje: José Salcedo.
Estreno en España: 17 de marzo de 2006.

Volver.

c. Redacta un texto corto a partir de las informaciones anteriores para presentar la película *Volver,* de Almodóvar.

5 **Competencia sociolingüística:** las profesiones en femenino.

La médica.

a. Lee e infórmate.

Hoy en día muchas mujeres tienen profesiones que antes eran exclusivamente masculinas. Y ahora existen formas femeninas en el diccionario de la Real Academia: *presidenta, abogada, médica, catedrática, diputada, ministra, arquitecta, jueza,* etc.

Sin embargo, a veces se utiliza el sustantivo en masculino precedido del artículo en femenino: *la ingeniero, la juez, la médico.* Y muchas veces, se sigue creyendo que la forma masculina es más correcta, suena más profesional y se le dice a una mujer: «¿Usted es médico? Sí, soy médico».

El alumnado y el profesorado.

b. A continuación encontrarás varias maneras de evitar el sexismo en el lenguaje con palabras que se consideran políticamente correctas. Relaciona.

1. Los ciudadanos	a. El alumnado
2. Los hombres	b. Las personas mayores
3. Los romanos	c. El pueblo romano
4. El hombre de la calle	d. La gente de la calle
5. Los ancianos	e. El profesorado
6. Los profesores	f. Los seres humanos
7. Los alumnos	g. La ciudadanía

Acción

Preparas una entrevista de trabajo.

Si vas a buscar un trabajo en un país hispano tendrás que contar tu vida.

a. Pide el currículum a tu compañero y léelo. Piensa en las cosas que se preguntan durante una entrevista de trabajo y elabora una lista de posibles preguntas relacionadas con lo siguiente:

- ✔ Experiencia profesional
- ✔ Formación
- ✔ Idiomas
- ✔ Informática
- ✔ Cursos de especialización
- ✔ Vida personal y carácter

Por ejemplo:

- *¿Cómo conoció la existencia de este puesto?*
- *¿Usted nació en Madrid y se fue a vivir a Estados Unidos? ¿En qué año? ¿Qué hacía allí?*
- *Entre .... y .... trabajó en la empresa .... ¿Cuál era su puesto?*
- *¿Qué hizo entre .... y ....?*

b. Formúlale las preguntas a tu compañero y él te contesta.

c. Haz un guión para preparar la entrevista con los puntos más importantes.

Cultura hispánica

1 ACTORES HISPANOS.

a. **¿Conoces a estos actores hispanos? Relaciona los nombres con las fotografías:**

JAVIER BARDEM
CECILIA ROTH
PENÉLOPE CRUZ
ANTONIO BANDERAS
GAEL GARCÍA BERNAL

a. ....

b. ....

c. ....

d. ....

b. **Escucha los datos de los otros tres actores y completa la ficha igual que en los modelos.**

Penélope Cruz

Datos biográficos: Nació en 1974. Es una de las actrices españolas más famosas en Estados Unidos.

Películas: *Jamón, jamón* (1992). *Belle époque* (1992) y *La niña de tus ojos* (1998), de F. Trueba. *Todo sobre mi madre* (1999) y *Volver* (2006), de P. Almodóvar, *Vanilla Sky* (2002) y *Sahara* (2005).

Premios: *Belle époque* (1994), Óscar a la mejor película de habla no inglesa. En 1999 Goya a la mejor interpretación femenina protagonista con *La niña de tus ojos.* Es la primera actriz española en recibir una candidatura al Óscar por su actuación en *Volver.*

e. ....

Gael García Bernal

Datos biográficos: es mexicano, hijo de actores. Nació en 1978.

Películas: *Amores perros* (2000) y *El crimen del padre Amaro* (2002). En el 2004 actuó en *Diarios de motocicleta* y, por primera vez para el cine español, en *La mala educación*, de P. Almodóvar. En 2006 protagonizó *Babel*, del mismo director que *Amores perros.*

Premios: *Amores perros* (2000) y *El crimen del padre Amaro* (2002): nominadas al Óscar como mejor película de habla no inglesa. En *La mala educación*, de P. Almodóvar, ganó el Premio de mejor actor en el Festival Internacional de Cine de Valdivia.

Datos biográficos:
....
....

Películas:
....
....

Premios:
....
....

c. **¿Qué tienen en común los cinco?**

El cine hispano

2 ALGUNAS PELÍCULAS HISPANAS CONOCIDAS INTERNACIONALMENTE.

Aquí tienes la descripción de tres películas hispanas famosas internacionalmente.
¿A qué película corresponde cada descripción?
¿Has visto alguna de estas películas?

LA BUTACA
Revista de Cine
APUNTA TU CORREO
Suscríbete gratis
Cada semana los últimos estrenos de cine

Es la primera película de este director mexicano. Es la historia de varias relaciones tanto entre humanos como entre perros, entre parejas, hermanos, etc. Un violento accidente de coches es el punto de unión entre tres grupos de personas y sus perros. Todos intentan sobrevivir a su propia soledad y sus actos (buenos y malos) tendrán consecuencias inesperadas.

La película ganó once premios Ariel de la Academia Mexicana de Artes y Ciencias Cinematográficas y fue nominada al Óscar como mejor película de habla no inglesa.

Dirigida por Alejandro González Iñárritu.

a. ....

LA BUTACA
Revista de Cine
APUNTA TU CORREO
Suscríbete gratis
Cada semana los últimos estrenos de cine

Película que cuenta la historia real de Ramón Sampedro, marinero que tras un accidente en su juventud queda tetrapléjico y permanece en una cama durante cerca de 30 años. Desea morir dignamente. Su mundo es su habitación y a ella llegan Julia, su abogada, y Rosa, una vecina que intenta convencerlo de lo interesante que puede ser la vida. La gran personalidad de Ramón cambia por completo los principios de las dos. Óscar a la mejor película de habla no inglesa en 2004.

Dirigida por Alejandro Amenábar.

b. ....

Manuela siente la necesidad imperiosa de buscar al padre del hijo que acaba de perder en un accidente. La gran obsesión vital del chico fue la de saber quién era su padre, algo que ella siempre le escondió. Con esa intención Manuela viaja a Barcelona, donde se reencontrará con él, aunque ahora transformado en Lola. Óscar a la mejor película de habla no inglesa en 2000.

Dirigida por Pedro Almodóvar.

c. ....

3 EL FESTIVAL DE CINE DE SAN SEBASTIÁN.

Lee el siguiente texto sobre el Festival de Cine de San Sebastián y responde a las preguntas.

El Festival Internacional de Cine de San Sebastián, iniciado en 1953 en la ciudad vasca de San Sebastián, España, es el más importante del país y uno de los más prestigiosos de Europa, junto al Festival de Cannes, la Mostra de Venecia o la Berlinale. Por él han pasado grandes directores, actores y productores, tanto para recibir como para mostrar sus películas fuera de concurso. Se celebra a finales del mes de septiembre de cada año. Además de los premios de la sección oficial, se conceden otros, entre los que destaca el Premio Donostia, otorgado a las grandes carreras cinematográficas.

a. ¿Qué festivales de cine son comparables al Festival de San Sebastián?

b. ¿En qué comunidad autónoma está San Sebastián?

c. ¿Cuándo se celebra?

ENFOQUE arte

Frank O. Gehry
Guggenheim

BILBAO
1997

El Museo Guggenheim de Arte Contemporáneo

Diseñado por el arquitecto norteamericano Frank O. Gehry y abierto al público en 1997, es uno de los más espectaculares museos del mundo. Está situado junto a la ría y compuesto de varios volúmenes conectados entre ellos, con formas orgánicas recubiertas de piedra, y otras curvadas y retorcidas, cubiertas por titanio. Estos volúmenes se combinan con vidrio que da transparencia a todo el edificio. El museo no tiene ni una superficie plana en toda su estructura. Visto desde el agua parece un barco que se acerca al puerto de Bilbao. Con su aspecto brillante se parece a un pez. Pero visto desde arriba, el edificio posee la forma de una flor. Para su diseño el equipo de Gehry utilizó simulaciones por ordenador, consiguiendo unas formas imposibles de realizar unas pocas décadas antes.

1. Describe el museo Guggenheim de Bilbao, su forma y su arquitectura (orgánica, vanguardista, espectacular, etc.).
2. Explica qué significado puede tener el edificio y por qué es tan especial.
3. ¿Has visitado ya este museo? ¿Te ha gustado? ¿Por qué? Si no lo has visitado, ¿te gustaría visitarlo? ¿Por qué?
4. Describe otro museo que te ha llamado la atención y explica por qué.

→ Busca información sobre Frank Gehry y el Museo Guggenheim en Internet, y amplía las informaciones sobre la arquitectura del edificio.

→ ¿Sabes que Bilbao era una ciudad muy industrial y que ahora es una ciudad moderna y con una gran vida cultural? Busca información sobre la transformación de Bilbao, escribe un texto y compártelo con el resto de la clase.

Ámbito Académico

Portfolio: evalúa tus conocimientos.

Nivel alcanzado

Insuficiente | Suficiente | Bueno | Muy bueno

Después de hacer el módulo 5

Fecha: ....

Comunicación

- Puedo hablar del pasado, describiendo las circunstancias que rodean los acontecimientos en pasado.
Escribe las expresiones:

* Si necesitas más ejercicios, ve al punto 1 del Laboratorio de Lengua.

- Puedo describir acciones pasadas.
Escribe las expresiones:

* Si necesitas más ejercicios, ve al punto 2 del Laboratorio de Lengua.

- Puedo hablar de acciones y de descripciones.
Escribe las expresiones:

* Si necesitas más ejercicios, ve al punto 3 del Laboratorio de Lengua.

Gramática

- Sé la forma del imperfecto.
Escribe algunos ejemplos:

* Si necesitas más ejercicios, ve al punto 4 del Laboratorio de Lengua.

- Sé utilizar el imperfecto: describir acciones pasadas.
Escribe algunos ejemplos:

* Si necesitas más ejercicios, ve al punto 5 del Laboratorio de Lengua.

- Sé utilizar el indefinido y el imperfecto.
Escribe algunos ejemplos:

* Si necesitas más ejercicios, ve al punto 6 del Laboratorio de Lengua.

Vocabulario

- Conozco el vocabulario básico para hablar de la casa.
Escribe las palabras que recuerdas:

* Si necesitas más ejercicios, ve al punto 7 del Laboratorio de Lengua.

- Conozco el vocabulario de las características de las viviendas.
Escribe las palabras que recuerdas:

* Si necesitas más ejercicios, ve al punto 8 del Laboratorio de Lengua.

- Conozco el vocabulario del cine.
Escribe las palabras que recuerdas:

* Si necesitas más ejercicios, ve al punto 9 del Laboratorio de Lengua.

LABORATORIO DE LENGUA

Comunicación

1. Describir las circunstancias que rodean los acontecimientos en pasado.

a. ¿Qué les pasó? Cuéntalo usando los tiempos correctos.

- (Ir) a caballo, también (estar) mi hermano. (Hacer) un día precioso y (sentirme) muy feliz.

  El caballo (empezar) a correr, y yo (perder) el equilibrio y (caerme).

¿Pero qué te ha pasado?

- (Estar) en una obra, no (llevaba) casco, no (tener) puesta la cuerda de seguridad.

  De repente (oír) un ruido muy grande, (asustarme) y (caerme) del andamio.

- (Estar) a punto de casarme con María, (tener) reservado el viaje de novios, (estar) más enamorado que nunca.

  De repente María (conocer) a un bailarín, (volverse) loca por él y (dejarme).

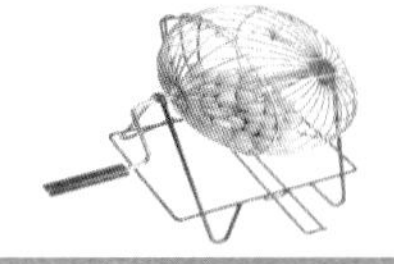

- ¡Menudo cambio! (Estar) en el paro, no (tener) dinero, no (saber) qué hacer; (comprar) un billete de lotería y (tocarme).

2. Describir acciones en el pasado.

a. Piensa dónde estabas, con quién te relacionabas, qué hacías en los siguientes momentos. Escríbelo.

1. A los 9, 14, 16... años ....
2. De pequeño/a, de niño/a ....
3. Cuando estabas en el colegio ....
4. Durante los veranos ....
5. En Navidad ....

3. Hablar de acciones y de descripciones.

a. Aquí tienes un pequeño resumen de la vida de Antonio Banderas. Léelo y explica esta parte de su vida.

FECHAS	Acciones y acontecimientos en periodos delimitados	Descripciones, situaciones, acciones habituales
1960-1979	→ Vida en Benalmádena (Málaga).	→ Fútbol. → Estudios de Arte Dramático.
1979-1990	→ Traslado a Madrid.	→ Trabajo: acomodador, camarero. → Actuaciones en teatros *underground* de Madrid.
1982-1990	→ Empieza a trabajar en el cine: 5 películas con Almodóvar. Películas con otros directores, entre ellos Saura, Armendáriz...	→ Continuación de los estudios de Arte Dramático.
1992-2000	→ Debut en Hollywood. Distintas películas: *Los reyes del mambo, La máscara del zorro, Philadelphia.*	→ Aprender inglés. → Trabajar como productor.

Gramática

4. La forma del imperfecto.

a. Conjuga:

IR	
2.ª pers. plur.	
3.ª pers. sing.	
1.ª pers. plur.	
1.ª pers. sing.	

SER	
2.ª pers. plur.	
1.ª pers. sing.	
3.ª pers. plur.	
2.ª pers. sing.	

VER	
1.ª pers. sing.	
3.ª pers. sing.	
2.ª pers. sing.	
2.ª pers. plur.	

5. El imperfecto para describir acciones pasadas (antes y ahora).

a. Si esto es ahora, ¿cómo era antes? Escríbelo:

Ahora

No me preocupo tanto por las cosas, me tomo la vida con mucha más calma que antes.

Ahora no fumo y me siento mucho mejor, puedo correr, respiro mejor.

Duermo poco, no más de seis horas al día.

Hago más deporte que antes, pero salgo menos con la gente: normalmente no salgo por las noches. Eso quiere decir que ya no voy tanto al cine como antes. También hablo menos que antes...

Antes

Me preocupaba mucho por las cosas...

Antes...

6. El uso del indefinido y del imperfecto.

a. Escribe el principio de este texto, contando las circunstancias de la vida de Robinho, jugador de fútbol.

- → (Ser) un niño feliz, a pesar de que (vivir, nosotros) de una manera muy humilde.
- → Mis padres (trabajar) mucho.
- → Mi entorno (ser) muy alegre.
- → No (necesitar, yo) ni un balón para jugar: (llenar, nosotros) una botella de agua y (jugar, nosotros) con ella.

Así empecé. Los brasileños llevamos el fútbol en el corazón, es todo para nosotros.

Yo crecí en Santos, una ciudad pequeña que está en la costa. A los 8 años comencé mi vida profesional: pasé del pequeño equipo del Beira - Mar, de São Vicente, al Portuários, de Santos.

b. Escucha el audio y compara.

Vocabulario

7. La casa.

a. **Localiza los siguientes espacios en este plano.**

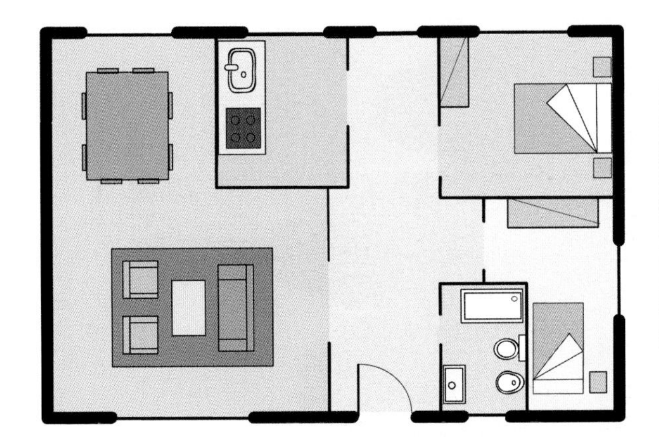

- → salón
- → dormitorio
- → comedor
- → cocina
- → cuarto de baño
- → pasillo

8. Las características de las viviendas.

a. **¿A qué tipos de vivienda se refieren estas frases?**

1. Tiene más de 50 m² y 2 o más dormitorios.
2. Es más pequeño que el piso y tiene 1 dormitorio.
3. Tiene entre 25 y 40 m² y un único espacio.
4. Es una vivienda independiente con jardín.
5. Es un piso en la última planta, generalmente con terraza.
6. Es una vivienda con jardín pegada a otras.

9. El cine.

a. **Lee el siguiente texto y contesta a las preguntas.**

9 Goyas

1 Óscar

Belle époque. Fernando Trueba, 1992.

La historia de un hombre que ama a todas las mujeres y, sin embargo, se ve obligado a elegir a una entre todas.

Fernando, un joven desertor que recorre los campos, conoce a Manolo, un viejo pintor, sabio y escéptico, que le ofrece ayuda y su casa. Y, sobre todo, su amistad. Pero llega el día en que Fernando debe irse, porque las cuatro hijas de Manolo vienen de Madrid a pasar unos días con su padre. Cuando Fernando ve bajar del tren a... Clara, Violeta, Rocío y Luz, decide volver a casa de Manolo. La película es la crónica y pintura de los días que Fernando vive en compañía de Manolo y sus cuatro hijas. Días de amor y amistad, de alegría y tristeza, de placer y dolor, los mejores de su vida, su «belle époque».

9 Goyas 1992
- → Mejor película
- → Mejor director
- → Mejor interpretación femenina protagonista
- → Mejor interpretación femenina de reparto
- → Mejor interpretación masculina de reparto
- → Mejor guión original
- → Mejor montaje
- → Mejor fotografía
- → Mejor dirección artística

Óscar 1993
- → Mejor película extranjera de habla no inglesa

1. ¿Cómo se llama el director de esta película?
2. ¿Cuántos premios tiene *Belle époque*?
3. ¿Conoces a alguna de las actrices de la película?
4. Lee la sinopsis del argumento y escribe un resumen del argumento de la película.

Módulo 6

Ámbito Personal

Das recomendaciones para una vida sana.

- **Competencia léxica:** el cuerpo humano.
- **Competencia funcional:** expresar dolor y malestar.
- **Competencia gramatical:** el imperativo regular.
- **Competencia fonética y ortográfica:** el imperativo con pronombres.
- **Competencia sociolingüística:** el concepto de cuidado personal y belleza.

Ámbito Público

Rellenas un formulario de salud.

- **Competencia léxica:** la asistencia sanitaria.
- **Competencia funcional:** expresar posibilidad, permiso, necesidad y obligación.
- **Competencia gramatical:** las perífrasis *hay que* + infinitivo, *tener que* + infinitivo y *poder* + infinitivo y la posición de los pronombres.
- **Competencia fonética y ortográfica:** la equis.
- **Competencia sociolingüística:** refranes sobre la salud.

Ámbito Profesional

Describes el sistema universitario.

- **Competencia léxica:** los estudios universitarios, las pruebas y los exámenes.
- **Competencia funcional:** pedir y conceder o denegar permiso, pedir cosas.
- **Competencia gramatical:** imperativos irregulares y la colocación de los pronombres con imperativo.
- **Competencia fonética y ortográfica:** la acentuación de los imperativos.
- **Competencia sociolingüística:** la valoración social de los médicos.

Cultura hispánica

El sistema sanitario en España.

- Titulares.
- Datos sobre la salud.
- La sanidad pública y privada.

Enfoque arte

La gastronomía: creaciones culinarias: Ferran Adrià.

Ámbito Académico

Portfolio: evalúa tus conocimientos.
Laboratorio de Lengua: refuerza tu aprendizaje.

hablar de la salud

Ámbito Personal

Acción: Das recomendaciones para una vida sana.

Vamos a aprender a: expresar dolor y malestar.

a. Lee esta información de la página web de un centro dedicado al bienestar personal y relaciona las imágenes con las disciplinas.

Armonización cuerpo y mente

Bienvenidos | Cursos de formación | Clases de espaciozen | Ki Shin Do | Consultas alternativas | Fotos | Contacto

1 ....

2 ....

3 ....

4 ....

PILATES
L y X: 18.30-19.30 / 19.30-20.30
M y J: 14.30 -15.30
Pilates personalizado
+ info ☐

TAICHI
L y X: 13.00 -14.00
L: 15.15 - 16.15
+ info ☐

DANZA del VIENTRE
L y X: 14.15 - 15.15
+ info ☐

YOGA
M y J: 13.15 - 14.15 / 19.15 - 20.15
+ info ☐

☐ *Taichi*

El taichi es un sistema chino de técnicas que proceden de las artes marciales. Consiste en una secuencia de movimientos suaves y armónicos. Si te gusta la suavidad, el trabajo interior y la concentración, el taichi es tu actividad.

☐ *Yoga*

El yoga es una disciplina milenaria originaria de la India que trabaja el cuerpo, la mente y el espíritu. Para ello utiliza posturas físicas que ayudan a tu cuerpo a estirarse y relajarse. Con el yoga buscas la paz interior.

☐ *Pilates*

El método pilates nació hace más de 90 años. Está basado en un programa muy seguro de ejercicios precisos y controlados. Trabaja todos los músculos y evita movimientos innecesarios.

☐ *Danza del vientre*

Esta danza árabe, sensual, está basada en movimientos suaves y ondulados de todo el cuerpo. Los ritmos y los sonidos mágicos de los instrumentos musicales ayudan a la mujer a conectar mejor con su interior.

b. ¿Cuál de las cuatro te interesa más? ¿Por qué?

c. ¿Has practicado o practicas alguna de estas disciplinas? Explica a tus compañeros cómo es, dónde la practicas y por qué...

1 Competencia léxica: el cuerpo humano.

El aspecto físico.

a. Lee esta lista de palabras que corresponden a partes del cuerpo humano y colócalas en las cajas.

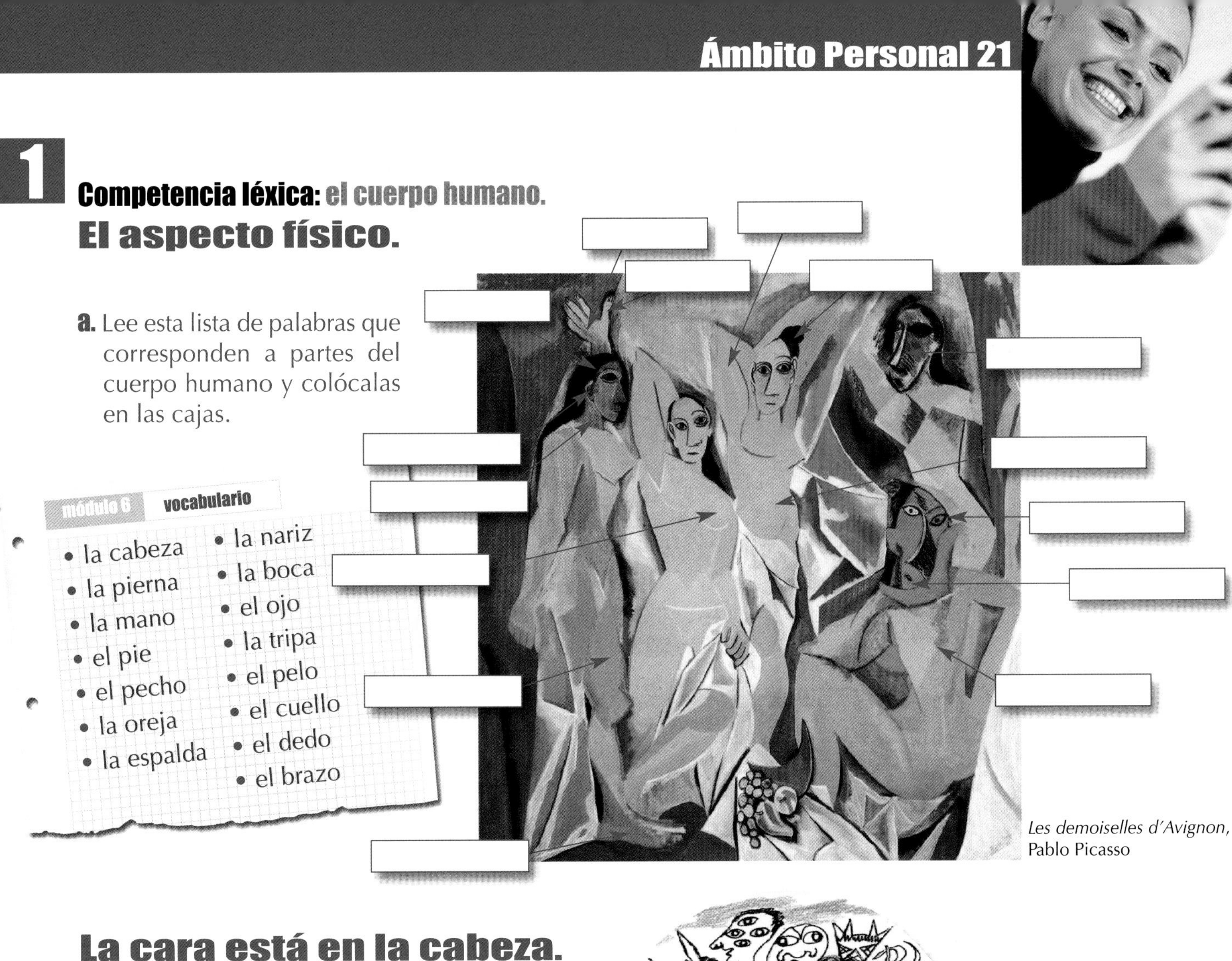

Les demoiselles d'Avignon, Pablo Picasso

La cara está en la cabeza.

b. Escucha, comprueba y completa.

Una de monstruos.

c. Mira este monstruo y lee su descripción.

Mercedes Navecio

«Este monstruo tiene cinco cabezas y cuatro piernas. Las piernas no tienen pies, sino manos, y las manos tienen cuatro o cinco dedos. Una de las cabezas tiene cuatro ojos y el pelo negro. Otra cabeza tiene cinco ojos. Tiene una boca en el pecho...».

– Dibuja un monstruo en un papel, descríbeselo a tu compañero. Sin ver tu dibujo, lo tiene que dibujar. Después, compara los dos monstruos.

2 Competencia funcional: expresar dolor y malestar.

Me encuentro mal.

a. Escucha, indica el orden y asocia con cada imagen.

a
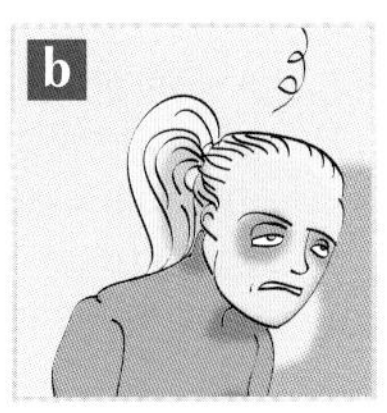

b

c

d

☐ Le duele una muela.

☐ Tiene alergia.

☐ Está resfriado. Tiene tos.

☐ Se siente mal: ha comido algo en mal estado.

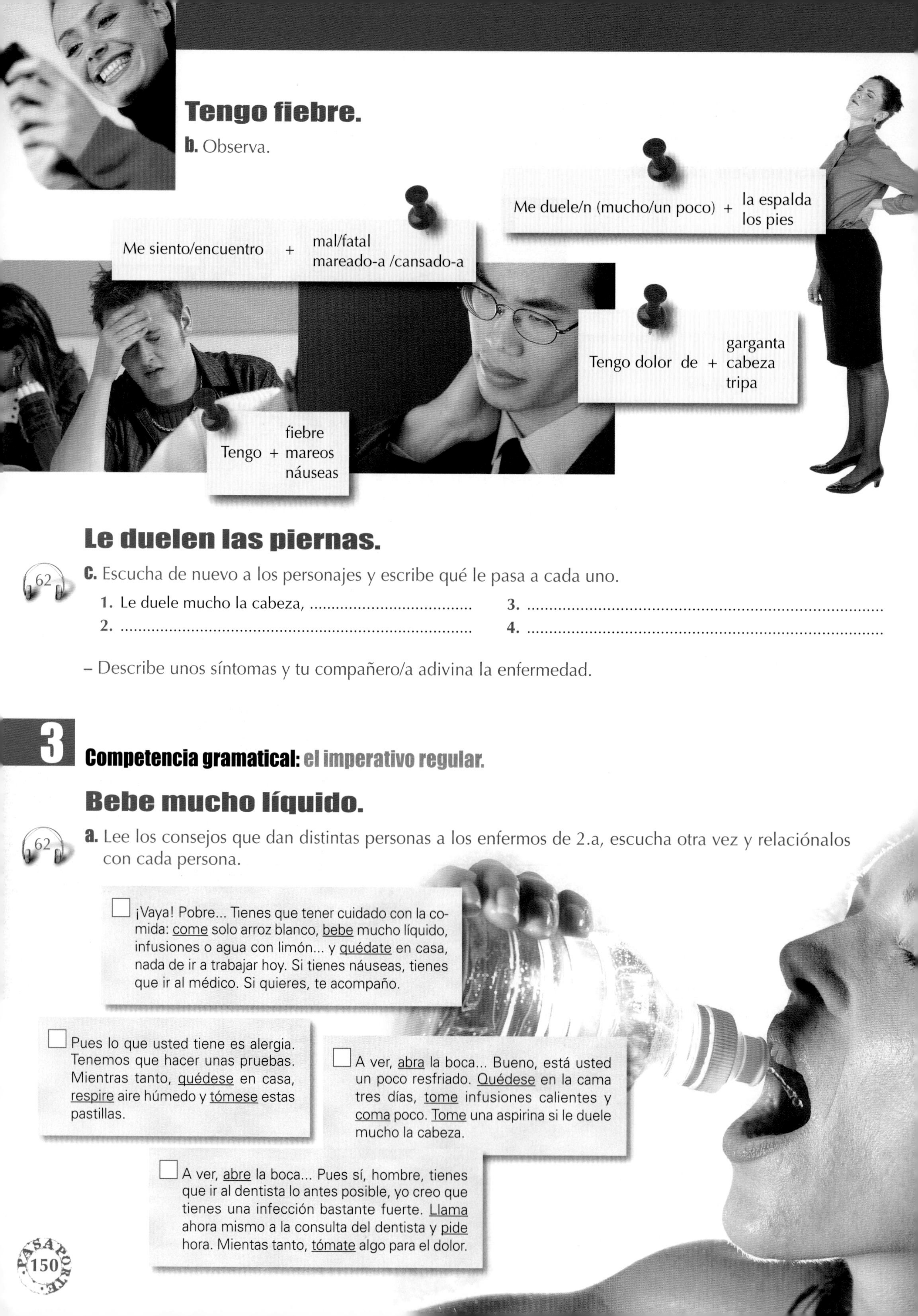

Tengo fiebre.

b. Observa.

Me siento/encuentro + mal/fatal, mareado-a /cansado-a

Me duele/n (mucho/un poco) + la espalda, los pies

Tengo dolor de + garganta, cabeza, tripa

Tengo + fiebre, mareos, náuseas

Le duelen las piernas.

62

c. Escucha de nuevo a los personajes y escribe qué le pasa a cada uno.

1. Le duele mucho la cabeza, ...
2. ....
3. ....
4. ....

– Describe unos síntomas y tu compañero/a adivina la enfermedad.

3 Competencia gramatical: el imperativo regular.

Bebe mucho líquido.

62

a. Lee los consejos que dan distintas personas a los enfermos de 2.a, escucha otra vez y relaciónalos con cada persona.

☐ ¡Vaya! Pobre... Tienes que tener cuidado con la comida: come solo arroz blanco, bebe mucho líquido, infusiones o agua con limón... y quédate en casa, nada de ir a trabajar hoy. Si tienes náuseas, tienes que ir al médico. Si quieres, te acompaño.

☐ Pues lo que usted tiene es alergia. Tenemos que hacer unas pruebas. Mientras tanto, quédese en casa, respire aire húmedo y tómese estas pastillas.

☐ A ver, abra la boca... Bueno, está usted un poco resfriado. Quédese en la cama tres días, tome infusiones calientes y coma poco. Tome una aspirina si le duele mucho la cabeza.

☐ A ver, abre la boca... Pues sí, hombre, tienes que ir al dentista lo antes posible, yo creo que tienes una infección bastante fuerte. Llama ahora mismo a la consulta del dentista y pide hora. Mientas tanto, tómate algo para el dolor.

¿Abre o abra la boca?

b. Las formas subrayadas son imperativos, que usamos para dar órdenes y consejos. ¿Cuáles de estas frases corresponden a la persona «usted» y cuáles a la persona «tú»? Observa el esquema.

	Tom-ar	Beb-er	Abr-ir
Tú	*tom-**a***	*beb-**e***	*abr-**e***
Usted	*tom-**e***	*beb-**a***	*abr-**a***
Vosotros/as	*tom-**ad***	*beb-**ed***	*abr-**id***
Ustedes	*tom-**en***	*beb-**an***	*abr-**an***

Toma, tomad.

c. Conjuga estos verbos.

✔ La forma para **vosotros/as** es como el infinitivo, pero cambiando la **-r** por **-d**: abri**r** > abri**d**.

	tú	vosotros/as	usted	ustedes
Comprar	....	....	....	....
Hablar	....	....	....	....
Comer	....	....	....	....
Escribir	....	....	....	....
Partir	....	....	....	....
Andar	....	....	....	....
Correr	....	....	....	....

Tómese estas pastillas.

d. Completa los siguientes diálogos con las expresiones del cuadro poniéndolas en imperativo.

Cambiarlos. Tomarse un té caliente. Abrirla. Concentrarse.
Dejar de pensar y terminarla. Quedarse en casa.

Los pronombres

*Quéde**se** en la cama tres días. / Quéda**te** en casa.*

Con el imperativo, los pronombres se ponen detrás.

1. • Me encuentro mal, tengo mucha fiebre. No sé si ir a trabajar.
   • ¿Tú estás loco? ....
2. • Tengo frío.
   • Pues .... ¿Se lo preparo?
3. • Llevo 2 horas para escribir una carta.
   • Venga, Sr. Jiménez, ...
4. • No me gustan nada estos pantalones que me han regalado.
   • Pues .... ¿No tienes el tique?
5. • No me acuerdo dónde he dejado el móvil.
   • A ver, ... ¿Dónde ha estado usted la última media hora?
6. • No sé si abrir esta botella de champán, es carísimo.
   • Mujer, ..., es una ocasión muy especial.

4 **Competencia fonética y ortográfica:** el imperativo con pronombres.

Quédate en casa.

a. Escucha a tu profesor: ¿en qué se parecen estas palabras? Elige la opción correcta.

1. Quédate
2. Tómese
3. Cámbialos
4. Concéntrate
5. Ábrela
6. Tómate

a. Todas tienen 3 sílabas. ☐

b. Todas se pronuncian: _ _ ´_ ☐ / _ ´_ _ ☐ / ´_ _ _ ☐

– Tu profesor lee las palabras una a una y la clase repite.

5 Competencia sociolingüística: el concepto de cuidado personal y belleza.

Yo me cuido mucho.

a. ¿Qué haces a menudo para cuidar tu cuerpo o tu aspecto físico? Marca qué asocias con el concepto de cuidado personal.

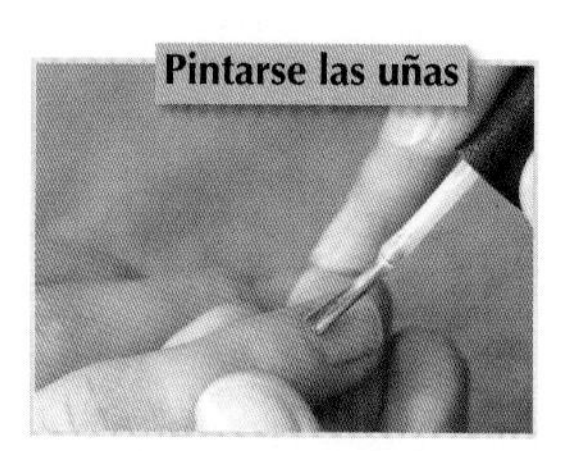

Me depilo las piernas una vez al mes.

Frecuencia

✔ Todas las semanas...
✔ Una vez al año...

Depilarse	☐	Pintarse las uñas	☐
Afeitarse la barba y el bigote	☐	Cortarse el pelo	☐
Darse crema	☐	Maquillarse	☐
Teñirse el pelo	☐	Hacerse tatuajes	☐

¡Hoy no me he afeitado!

b. ¿Hay diferencias entre los hábitos de cuidado personal de hombres y mujeres? Intenta hacer una distinción. Coméntalo con tus compañeros.

Hombres	Hombres y mujeres	Mujeres

El hombre de hoy.

c. Lee el siguiente texto y responde a las preguntas.

19 de marzo de 2003. Magazine de *El Mundo*. Ana Parrilla (texto adaptado).

Por primera vez en la historia, los hombres españoles están adquiriendo nuevos hábitos en el terreno de la belleza.

Cada español gasta 49 euros al año en productos de aseo como desodorante, dentífrico, gel de baño... Los que usan también otro tipo de cosméticos (solo el 6% de los españoles se aplica alguna crema, frente al 11% de los europeos) invierten 53 euros al año.

Nuestros compatriotas son los hombres menos calvos de Europa, los más preocupados por su olor corporal (54%), adictos al desodorante y al perfume. Se duchan cinco veces a la semana, se lavan las manos cuatro veces al día y los dientes, dos. Los británicos y los españoles son los europeos con más adicción al desodorante. Un 93% de los jóvenes españoles de entre 15 y 23 años se lo aplica diariamente. En el hábito de perfumarse los españoles con un 56,9% superan a los europeos (35,9%).

Estudio de hábitos de cuidado personal masculino llevado a cabo por Gillette.

1. Productos que consumen los hombres españoles. ....
2. Inversión en productos de belleza. ....
3. Frecuencia en la ducha. ....
4. Frecuencia en el lavado de manos. ....
5. Frecuencia en el lavado de dientes. ....
6. Uso del desodorante y perfumes ....

– ¿Han cambiado los hábitos de los hombres también en tu país? ¿Por qué?

Acción

Das recomendaciones para una vida sana.

Seguro que alguna vez vas a tener que dar instrucciones o recomendaciones a alguien para hacer algo que tú conoces referente a hábitos de salud, práctica de algún deporte u otra actividad.

Escribe un decálogo (10 recomendaciones) para tener buena salud.

1. Come sano, pocas grasas y muchas verduras.
2. ....
3. ....
4. ....
5. ....
6. ....
7. ....
8. ....
9. ....
10. ....

Piensa en los aspectos que crees más importantes para estar bien:

- ✔ Alimentación.
- ✔ Actividades físicas, deportes, etc.
- ✔ Actividades que ayudan al bienestar psicológico, afectivo, espiritual: relaciones personales, deportes, actividades culturales, artísticas…
- ✔ Actividades o hábitos que hay que abandonar: sedentarismo, estrés, tabaco…

Ámbito Público

Acción **Rellenas un formulario de salud.**

Vamos a aprender a:
expresar necesidad, obligación, posibilidad y permiso.

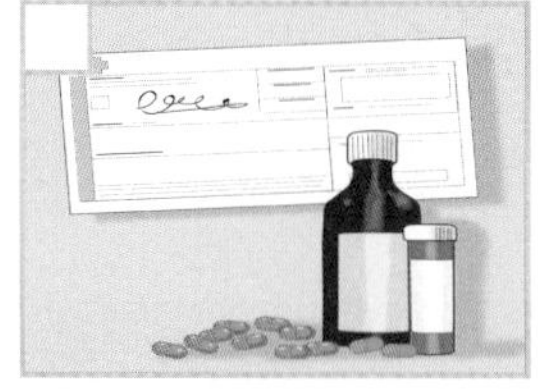
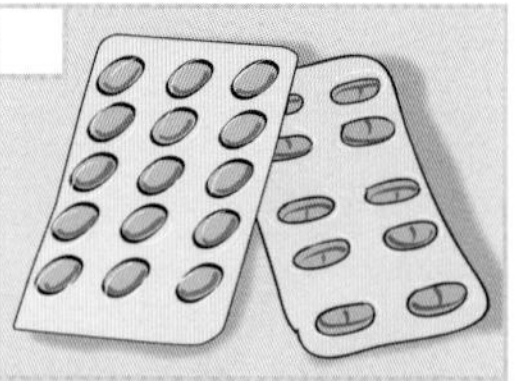
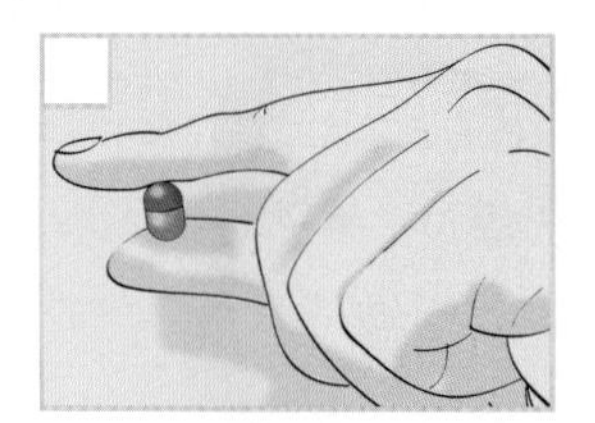

a. Aquí tienes una lista de palabras relacionadas con la visita al médico. Relaciona las palabras con los dibujos.

1. Pruebas
2. Mareo
3. Dosis
4. Receta
5. Medicamento/medicina

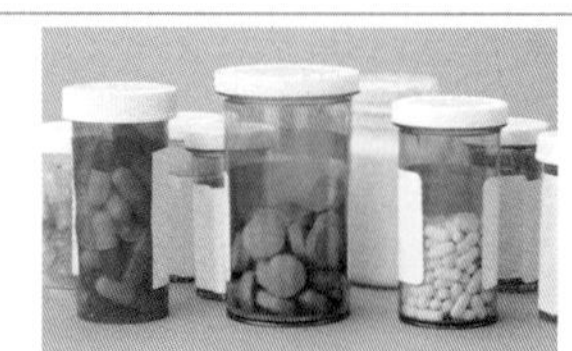

b. Lee este documento de una página web para jóvenes de una compañía médica y di si son verdaderas o falsas estas frases.

	V	F
1. Hay que ir al médico solo cuando nos encontramos mal.	☐	☐
2. Podemos modificar las dosis de los medicamentos nosotros mismos.	☐	☐
3. Si tienes mareos, malestar físico, etc., cuando tomas un medicamento, tienes que consultarlo con el médico.	☐	☐

Consejos para una buena salud

Motivos para ir al médico. Tenemos que ir al médico cuando nos encontramos mal. Pero también vamos para hacernos pruebas.

Uso de medicamentos. Hay que ser muy estricto con la dosis que se tiene que tomar: no se puede modificar sin antes consultarlo con el médico. Si crees que un medicamento te provoca efectos negativos como mareos, malestar físico, dolores de estómago u otros, debes informar al médico. Él puede decidir si cambia la medicina.

1 Competencia léxica: la asistencia sanitaria.

Me tengo que hacer una revisión.

a. Clasifica las siguientes palabras.

1. Enfermero/a
2. Farmacéutico/a
3. Consulta
4. Hospital
5. Médico/a general / de cabecera
6. Centro de salud
7. Servicio de urgencias
8. Especialista

Profesionales de la sanidad	Lugares relacionados con la sanidad

Confíanos tu salud.

SANITAS sanitassalud

Inicio | Seguros | Particulares | Pymes

.: TELÉFONOS

91 469 90 99
902 200 992

FAX 91 460 54 56

email:
info@sanitassalud.com

.: TIPOS DE SEGURO

- Particulares y Autónomos
- Pymes

.: UTILIDADES

- Guía Médica Sanitas
- Farmacias de guardia
- Diccio. de Enfermedades
- Primeros Auxilios
- Guía de Medicamentos

PARTICULARES

Seguros de Salud >> Sanitas Básico

Confía tu salud y la de los tuyos al grupo líder en el mercado sanitario, con más de 50 años de experiencia. Confía en Sanitas.

¿Por qué Sanitas Básico?

- Consultas de medicina general y con los mejores especialistas.
- Pruebas diagnósticas.
- Servicio de urgencias en territorio nacional y en el extranjero en los mejores hospitales.
- Sanitas 24 horas: Teléfono de consulta atendido por profesionales médicos 24 horas al día, 365 días al año.

Productos que se adaptan a tus necesidades y con la atención de profesionales acreditados por Sanitas para nuestros pacientes.

http://www.sanitassalud.com/ (texto adaptado)

b. Aquí tienes una página web de un seguro médico privado. Léelo y contesta a las preguntas:

– ¿Qué es Sanitas Básico? ¿Cuáles son los servicios que ofrece?

En España existe la sanidad pública gratuita para todos los españoles, pero también se puede contratar, pagando, un seguro médico privado.

2 Competencia funcional: expresar posibilidad, permiso, necesidad y obligación.

Tienes que...

a. Juan va a empezar mañana a ir a clases de yoga porque tiene dolor de espalda. Está en la escuela informándose. ¿De qué crees que están hablando?

☐ De la ropa y calzado que necesita para la clase de yoga.
☐ De la filosofía del yoga.
☐ Del horario de las clases.
☐ De la hora a la que hay que llegar a la escuela.
☐ De la experiencia del profesorado.
☐ De cómo son las clases y la práctica del yoga.
☐ Otros...

No se puede llegar tarde.

63

b. Escucha y marca entre las opciones anteriores las respuestas correctas.

– Lee estas frases y completa el cuadro.

✔ Para expresar **obligación o necesidad** de forma **impersonal** se utiliza ....
✔ Para expresar **obligación o necesidad** de forma **personal** se utiliza ....
✔ Para expresar **permiso o posibilidad** se utiliza ....

Hay que correr mucho.

c. ¿Qué deportes o actividades practicas? Tus compañeros adivinan de qué actividad se trata.

1. Haz una lista de las cosas que hay que llevar.
2. Haz una lista de las cosas que se pueden o no se pueden hacer antes, durante y después de la práctica.
3. ¿Qué características tienes que tener para practicar esa actividad?

Ej.: Hay que llevar pantalones cortos y camiseta, no se puede beber agua durante la práctica. Tienes que estar físicamente preparado, porque hay que correr mucho. Tienes que practicar con más personas, normalmente once por cada equipo...

* El fútbol.

3

Competencia gramatical: las perífrasis hay que + infinitivo, tener que + infinitivo y poder + infinitivo y la posición de los pronombres.

Hay que estar pronto en el aeropuerto.

a. Patricia ha estado unas semanas en Buenos Aires con su novio argentino y mañana vuelve a Granada. El diálogo contiene informaciones sobre los siguientes puntos. Léelos, después escucha y marca en qué orden se habla de ellos.

- ☐ ¿Dónde va a vivir Jorge en Granada?
- ☐ El transporte al aeropuerto.
- ☐ ¿Cómo van a mantener el contacto: con qué frecuencia se van a escribir?
- ☐ El pasaporte.
- ☐ El trabajo de Jorge en Granada.
- ☐ La hora en que Patricia va a estar en el aeropuerto.
- ☐ ¿Cuándo va a ir Jorge a Granada?

Recuerda

***Hay que* + INFINITIVO es impersonal, no se conjuga y no se usa con personas.**

Tienes que escribirme.

b. Escucha otra vez y completa las frases. Después relaciona las dos columnas.

1. El pasaporte
2. La hora para estar en el aeropuerto
3. La frecuencia de las cartas de Jorge a Patricia
4. Dónde va a vivir Jorge
5. La facturación
6. Llamar a un taxi
7. Cuándo va Jorge a Granada
8. El trabajo de Jorge en Granada

a. «............................ todos los días».
b. «............................ unos meses a ver si me dan la beca».
c. «............................ tres horas antes».
d. «¿............................ en casa de tu mamá?».
e. «¿Cuánto tiempo antes .... en la terminal?».
f. «............................ en el bolso».
g. «No sé si un argentino .... sin un permiso especial».
h. «............................ cuatro horas antes».

«Tienes que escribirme todos los días».

«Me tienes que escribir todos los días».

«¿Seguro que me puedo quedar en casa de tu mamá?».

«¿Seguro que puedo quedarme en casa de tu mamá?».

«Hay que terminarlo pronto».

«Hay que dárselo a Juan».

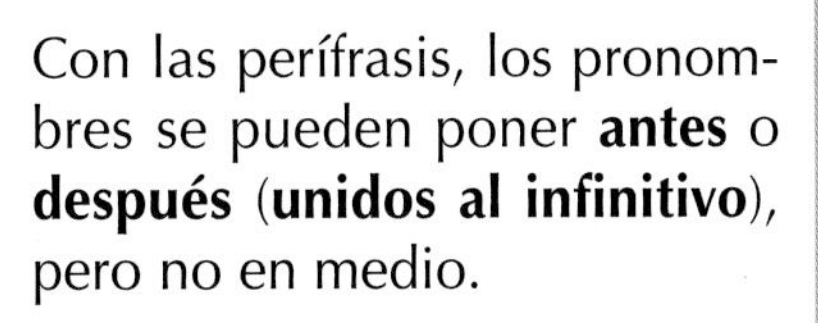

¿Puedes hacerlo o lo puedes hacer?

c. Observa.

Con las perífrasis, los pronombres se pueden poner **antes** o **después** (**unidos al infinitivo**), pero no en medio.

Con ***hay que*** **+ infinitivo**, el pronombre no puede ir antes, **siempre va después**.

Te puedes quedar.

d. Cambia la posición de los pronombres, si se puede.

Ej.: Tienes que tomarte una aspirina → *Te tienes que tomar una aspirina.*

1. ¡Tienes que quedarte en casa! ....
2. ¿Puedes ayudarla? ....
3. Hay que oírlo en un equipo de música mejor. ....
4. Te puedes quedar a dormir aquí, si quieres. ....
5. Lo tenemos que terminar antes del día 15. ....
6. Puedes dejarlo aquí. ....
7. Tengo que ponerlo en la mesa de José. ....
8. La fruta hay que comerla al principio. ....
9. ¿Podéis contarle a Jorge lo que ha pasado? ....
10. La tenemos que llamar hoy. ....

4 Competencia fonética y ortográfica: la equis.

Los expertos explican.

a. Lee en voz alta estas frases y observa cómo se pronuncia la letra **x** de «experiencia» y «explicar».

Hablan de la experiencia del profesorado.

Jaime te puede explicar cómo son las clases.

Rayos X.

b. En español se pronuncia [ks]? ¿Cómo es en tu idioma? ¿Existe **x**?

¿Qué oyes?

65

c. Escucha estas palabras y escríbelas.

1. .... 5. .... 9. ....
2. .... 6. .... 10. ....
3. .... 7. .... 11. ....
4. .... 8. .... 12. ....

✔ La **x** se pronuncia [s] a principio de palabra, pero hay poquísimas palabras que empiezan por **x**.

Pero no en México.

d. Lee.

México, *Oaxaca* y *Texas* conservan la letra **x**, que era la forma antigua de escribir estas palabras. La pronunciación es como la de la letra **j**.

5 Competencia sociolingüística: refranes sobre la salud.

Sabiduría popular.

a. Lee las siguientes frases. ¿Estás de acuerdo con su contenido?

1. Es mejor cuidarse y llevar una vida saludable que ponerse enfermo y tener que recuperarse.
2. Cuando un niño nace, de alguna manera, llega ayuda para criarlo.
3. Si no tienes hambre, pero empiezas a comer, el hambre llega.
4. Hay que llamar a las cosas por su nombre.
5. En los negocios hay que tener claridad en los números y en las finanzas.
6. Si estás con la persona a la que amas, la comida y el dinero no son importantes.
7. No debes preocuparte demasiado de lo que comes.

Contigo, pan y cebolla.

b. Aquí tienes algunos refranes que expresan lo mismo que las frases anteriores. Relaciónalos.

- ☐ Lo que no mata, engorda.
- ☐ Más vale prevenir que curar.
- ☐ Los niños nacen con un pan bajo el brazo.
- ☐ Las cuentas claras y el chocolate espeso.
- ☐ Al pan, pan y al vino, vino.
- ☐ En el comer y en el rascar, todo es empezar.
- ☐ Contigo, pan y cebolla.

En el comer y en el rascar, todo es empezar.

b. Completa los siguientes diálogos con el refrán adecuado.

1. • No sé si comerme esta tortilla, tiene demasiada cebolla...
   • Hombre, cómetela. ....
2. • Estoy preocupada porque vamos a tener ya al niño y estamos muy mal de dinero.
   • Tranquila, Ana, mi abuela siempre dice que ....
3. • Estoy muy enamorada de ti, pero no puedo ofrecerte estabilidad económica porque aún no tengo trabajo.
   • Cariño, no me importa, ...
4. • No tengo nada de hambre... he desayunado muy tarde y estoy llena...
   • Anda, come algo. Como dice el refrán, ...
5. • Faltan 5 euros, pero... bah... da igual, no tiene importancia.
   • Sí tiene importancia, esto es un negocio, y a mí me gustan ....
6. • Es una persona un poco rara, con problemas para relacionarse, yo creo que tiene complejos...
   • Yo pienso simplemente que es un antipático y un maleducado. A mí me gusta llamar a las cosas por su nombre, ...
7. • Voy a salir a comprar el pan y vuelvo enseguida a casa.
   • Sí, pero ponte el abrigo, porque hace mucho frío. ....

Rellenas un formulario de salud.

Si vas a España para una temporada, a lo mejor vas a tener que contratar un seguro médico privado.

Rellena este formulario de una compañía de seguros médicos. Después compara tus resultados con el resto de la clase. ¿Quién tiene una vida más sana?

asisa Cuestionario **de salud**

(A efectos exclusivos de la propuesta de formalización de una póliza de ASISA SALUD o ASISA HOSPITALIZACION con ASISTENCIA SANITARIA INTERPROVINCIAL DE SEGUROS, S. A.) N.° Propuesta de póliza

Nombre y Apellidos:

Fecha de Nacimiento: Estado: N° hijos:

Domicilio: Código Postal:

Población: Provincia:

Teléfono: D.N.I.:

¿Cuántos miembros de su familia tienen póliza de Asistencia Sanitaria con ASISA?

¿Tienen otras pólizas de ASISA? ¿Cuáles?

Si procede de otra sociedad médica, ¿Puede decirnos cual?

¿Cómo definiría su estado de salud actual? ☐ Muy Bueno ☐ Bueno ☐ Regular ☐ Malo ☐ Muy malo

¿Tiene Seguridad Social? Si su Médico de Familia pertenece a ASISA ¿nos puede decir su nombre?

Médico

Declaracion de Salud

Hábitos	SI	NO		SI	NO
Fuma	☐	☐	Bebe alcohol	☐	☐
Hace deporte	☐	☐	Toma Drogas	☐	☐
Hace régimen	☐	☐	Sigue alguna Medicación	☐	☐
¿Visita al dentista?	☐	☐	Veces/año		

¿Cuánto pesa? Kg ¿Cuánto mide?

	SI	NO
¿Se ha hecho revisiones de próstata o ginecológicas?	☐	☐
¿Se hace chequeos médicos de empresa, particular, ...?	☐	☐

Realice una breve explicación sobre las respuestas contestadas afirmativamente:

Intervenciones quirúrgicas	SI	NO
¿Ha sido operado alguna vez?	☐	☐

Año	Tipo de operación	Secuelas

Ámbito Profesional

Acción **Describes el sistema universitario.**

Vamos a aprender a:

pedir y/o dar permiso y pedir cosas.

a. Mira este anuncio, ¿de qué crees que es?

emagister.com **Preparación para oposiciones**

¿Qué **oposición** estás buscando? [ ] en Buscar

Más buscado | Otras búsquedas

Test y Exámenes Mir (Médico Interno Residente) en Centro de Formación Ica
Datos básicos del curso

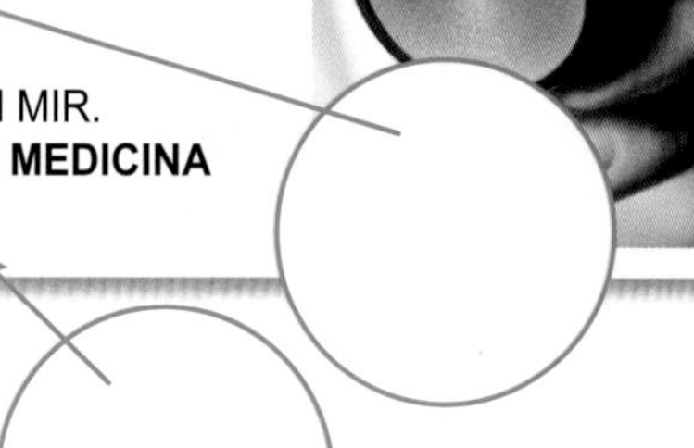

Tipo de examen	**Oposición**
Duración del curso	200 horas
Para qué te prepara	Preparación para el MIR.
Requisitos	**LICENCIADOS EN MEDICINA**
Precio	~~500~~ - 350€ **Beca**

b. Completa los círculos con las siguientes definiciones:

1. Es un examen que se hace para conseguir un puesto de trabajo como funcionario/a, en organismos oficiales.
2. Personas que han terminado de estudiar la carrera de Medicina.
3. Condiciones necesarias.
4. Ayuda económica para realizar estudios.

1 Competencia léxica: los estudios universitarios, las pruebas y los exámenes.

El camino de l@s médic@s.

a. Lee este texto sobre la carrera de medicina y cómo llegar a ser médico/a especialista.

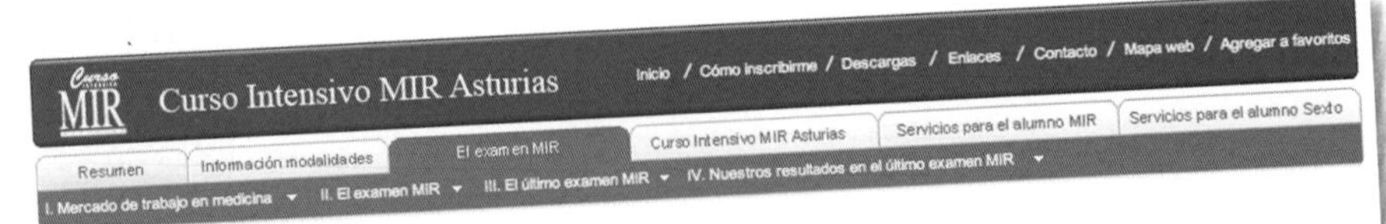

El MIR

La carrera de Medicina es una de las más largas y duras que existen. Primero, en España, para ingresar en la Universidad hay que hacer un examen, la Selectividad, y para entrar en Medicina la nota de Selectividad tiene que ser alta. Después, son necesarios al menos seis años de durísimos exámenes para conseguir el título de Licenciado/a en Medicina.

Una vez terminada la Universidad, la única solución para poder trabajar es obtener el título de especialista. Para entrar a la formación como especialista hay que aprobar el examen de MIR (Médicos Internos Residentes), que se convoca una vez al año y se realiza el mismo día y a la misma hora en toda España.

El examen es una prueba selectiva y las personas que aprueban consiguen un puesto de trabajo.

Si se aprueba el examen, el licenciado/a en Medicina tiene que formarse durante 3, 4 ó 5 años más, mientras trabaja como MIR, cobrando un sueldo pequeño. Después de estos años, el/la médico/a puede trabajar como «especialista».

Adaptado de http://www.curso-mir.com/el_examen_mir/01.htm

b. Después de leer el texto, completa con las palabras de la lista en la página siguiente los pasos que hay que dar para ser médico/a especialista:

examen de Selectividad
examen MIR
aprobar con nota alta
6 años de carrera
médico/a especialista

1. Bachillerato

suspender → 2. .... ← ....

3. Ingreso en Medicina

4. ....

5. Título de licenciado/a

6. ....

7. Tres, 4 ó 5 años de MIR

8. ....

¡Cuántos exámenes!

C. Completa las frases con las siguientes palabras:

suspender, matricularse, examen, Selectividad, oposiciones, carrera, nota, especialista, título, funcionario/a

1. Juan está contentísimo. Ha aprobado la .... con muy buena .... Ya puede .... en la .... de Medicina.
2. Para mí, ser .... es lo mejor: tienes un trabajo fijo para siempre. Por eso, voy a hacer .... Ya sé que aprobarlas es muy difícil, que mucha gente las ...., pero merece la pena.
3. Odio los ...., me pongo muy nervioso.
4. Carlos es .... en Medicina Tropical. Sacó el .... en Alemania.

2 Competencia funcional: pedir y conceder o denegar permiso, pedir cosas.

¿Puedo pasar?

66 **a.** Joaquín trabaja en la recepción de un hospital. Escucha, pon el número del diálogo que corresponde a cada dibujo y responde a las preguntas.

¿Qué quiere? ....

a. Joaquín le da permiso Sí No
b. Joaquín se lo da Sí No

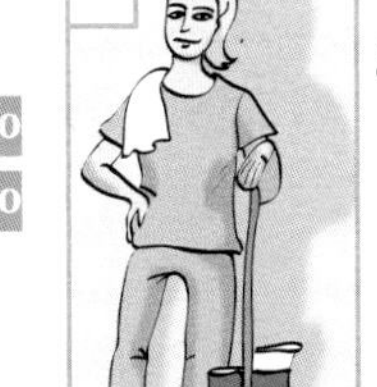

¿Qué quiere? ....

a. Joaquín le da permiso   Sí No
b. Joaquín se lo da 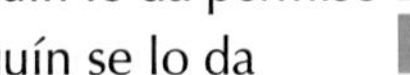 Sí No

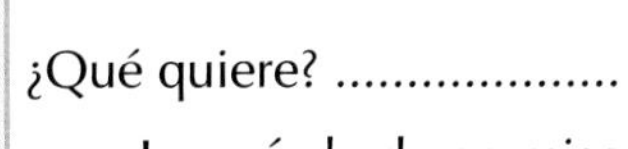

¿Qué quiere? ....

a. Joaquín le da permiso Sí No
b. Joaquín se lo da  Sí No

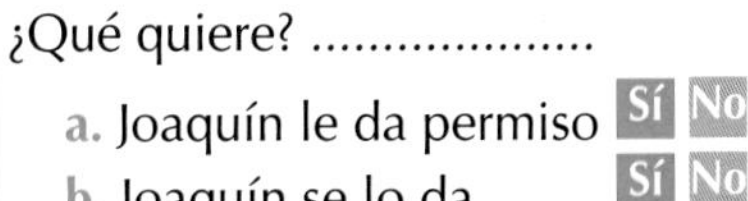

¿Qué quiere? ....

a. Joaquín le da permiso Sí No
b. Joaquín se lo da  Sí No

Sí, pasa, pasa.

b. Observa.

Pedir permiso

		Informal	Formal
¿Puedo pasar? ¿Puedo abrir la ventana?		*Sí, pasa, pasa.* *Sí, claro, ábrela.*	*Sí, pase, pase.* *Sí, claro, ábrala.*
		No, lo siento. No se puede pasar. *Lo siento, es que tengo mucho frío.*	

Pedir cosas

			Informal	Formal
Informal	*¿Puedes dejarme un bolígrafo, por favor?* *¿Me dejas un bolígrafo, por favor?* *Dame los informes.*		*Sí, toma.* *Ten.*	*Sí, tome.*
Formal	*¿Puede dejarme un bolígrafo, por favor?* *¿Me deja un bolígrafo, por favor?* *Deme los informes, por favor.*		*Lo siento, no tengo.* *Lo siento, es que...*	

Tenga, gracias.

c. Escucha otra vez el audio y marca si los diálogos son formales o informales.

	Informal	Formal
1.	☐	☐
2.	☐	☐
3.	☐	☐
4.	☐	☐

¿Se puede fumar aquí?

d. Relaciona los dibujos con las frases y pide permiso a tu compañero/a para hacer estas cosas.

1. Entrar.
2. Abrir la ventana.
3. Usar el diccionario de tu compañero/a.
4. Quitar la televisión.
5. Pasar.
6. Comer.

¿Me das un bolígrafo, por favor?

e. Toda la clase coloca en una mesa diccionarios, libros, cuadernos, relojes, anillos, etc. Después, cada uno/a coge tres o cuatro cosas que no son suyas. Encuentra quién tiene tus cosas y pídelas:

Ej.: • *Ese es mi diccionario, Marie. ¿Me lo das, por favor?*
• *¿Puedes darme mi reloj, Ana?*

3 Competencia gramatical: imperativos irregulares y la colocación de los pronombres con imperativo.

Pon los papeles aquí.

a. Observa las frases y completa el cuadro con los verbos.

Sal *inmediatamente de aquí.*
Di *la verdad.*
Haz *el examen.*
Trae *los informes.*
Pon *tu abrigo aquí.*
Ven *aquí, por favor.*

	Dar	Poner	Hacer	Decir	Venir	Traer	Salir
Tú	*da*	....	....	....	....	....	....
Vosotros, vosotras	*dad*	*poned*	*haced*	*decid*	*venid*	*traed*	*salid*

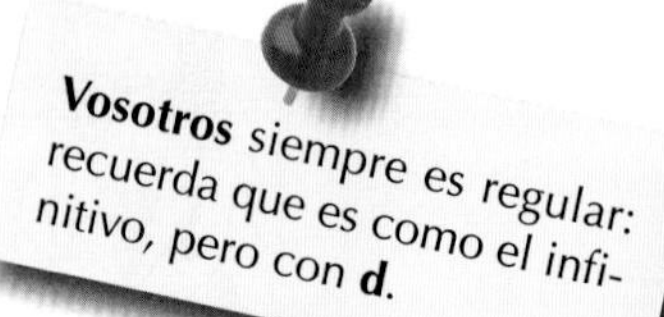

Dime, dime.

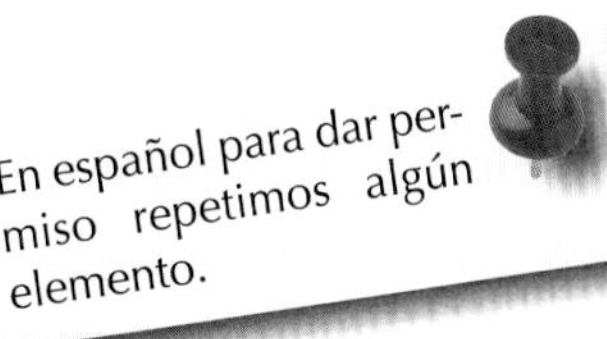
En español para dar permiso repetimos algún elemento.

b. Responde a estas personas.

Ej.: • *¿Puedo poner estos papeles aquí?*
• *Sí, sí, ponlos.*

1. ¿Puedo salir?
2. ¿Podemos poner las cosas aquí?
3. ¿Puedo poner la mesa?
4. ¿Podemos salir?
5. ¿Hago la cama?
6. ¿Podemos poner la mesa?
7. ¿Puedo ir a tu casa a dormir?
8. ¿Hacemos la cama?
9. ¿Traigo esas cajas?
10. ¿Podemos ir a tu casa a dormir?
11. ¿Puedo poner las cosas aquí?
12. ¿Traemos esas cajas?
13. ¿Puedo decirte una cosa?
14. ¿Podemos decirte una cosa?

Ponga los equipajes aquí, por favor.

c. Completa la tabla de estos imperativos irregulares y forma frases.

Ej.: • *Tráigame los informes, Manuel, por favor.*
• *Pongan los equipajes aquí, por favor.*

✔ Las formas de **usted** y **ustedes** vienen de la forma **yo** del presente, cambiando **-o** en **-a**:
traigo > traiga (Ud.) traigan (Uds.)
pongo > ponga (Ud.) pongan (Uds.)

	Dar	Poner	Hacer	Decir	Venir	Tener	Traer	Salir
Tú	*da*	*pon*	*haz*	*di*	*ven*	*ten*	*trae*	*sal*
Usted	*dé*	***ponga***	....	....	....	....	....	....
Vosotros/as	*dad*	*poned*	*haced*	*decid*	*venid*	*tened*	*traed*	*salid*
Ustedes	*den*	....	....	....	....	....	....	....

Sí, dígame.

d. Completa:

1. • ¿Los servicios, por favor?
   • Sí, (salir, usted) .... por esa puerta, los servicios están a la derecha.
2. (Dar, usted, a mí) .... las fichas de la Sra. Martínez, por favor.
3. (Tener, ustedes) .... cuidado con el escalón.
4. (Poner, ustedes) .... aquí los abrigos.
5. Para mañana, (hacer, ustedes) .... los ejercicios del módulo 3.
6. • Sra. Tiana...
   • Sí, (decir, usted, a mí) ....
7. Cristina, (venir, usted) .... a mi despacho. ¡Ah! Y (traer, usted) .... los informes.
8. (Decir, ustedes, a mí) ...., ¿les ha gustado la visita?
9. Roberto, (poner, usted) .... estos papeles en esa mesa.
10. Un momento, (dar, ustedes, a mí) .... cinco minutos, que voy a solucionarlo.

4 Competencia fonética y ortográfica: la acentuación de los imperativos.

Las tildes.

67 **a.** Escucha estos imperativos con sus pronombres y escríbelos.

Recuerda

1. Las palabras terminadas en **vocal**, **-n** o **-s** tienen la sílaba fuerte en la penúltima sílaba *(ej.: dame)*. Si no es así, llevan escrito un acento (tilde), *(ej.: dímelo)*.
2. Todas las palabras terminadas en **consonante**, excepto **-n** o **-s**, llevan el acento en la última sílaba, excepto si tienen un acento escrito (tilde).
3. Cuando las palabras tienen el acento tónico en la antepenúltima sílaba o en la anterior a la antepenúltima, siempre se escribe la tilde *(ej.: consúlteselo)*.

La última, la penúltima, la antepenúltima...

b. Escucha otra vez. ¿Cuál es la sílaba fuerte? Clasifica las palabras en esta tabla:

última	penúltima	antepenúltima	anterior
_ _ _́	_ _́ _	_́ _ _	_́ _ _ _

5 Competencia sociolingüística: la valoración social de los médicos.

De mayor voy a ser médico.

a. Lee el siguiente artículo sobre la valoración de los médicos en España y ordena las profesiones por las preferencias.

LOS MÉDICOS SON LOS PROFESIONALES MÁS VALORADOS POR LOS ESPAÑOLES

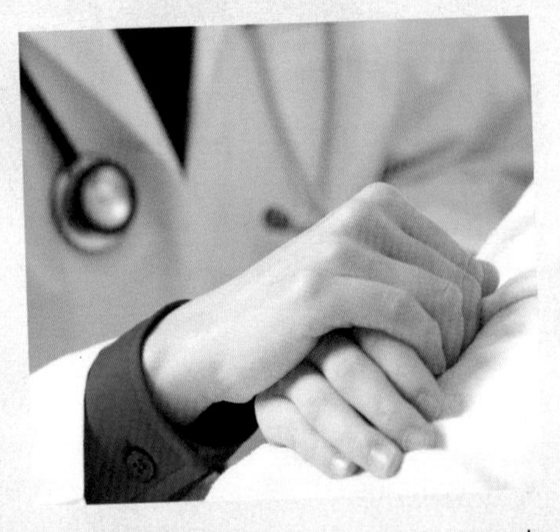

La profesión más valorada por los españoles es la de médico, seguida de la de enfermero, según el Centro de Investigaciones Sociológicas (CIS). Ser militar o periodista no está bien valorado.

Los médicos reciben la nota más alta en la valoración de los españoles (8,29), seguidos de enfermeros (7,8), profesores (7,7), arquitectos (7,4), informáticos (7,35), albañiles (7,21), fontaneros (6,99), policías (6,86), escritores (6,75) y empresarios (6,65). Por debajo de los 6,5 puntos están los jueces (6,49), los abogados (6,42), los periodistas (6,16) y los militares (5,89).

Cada profesión es valorada por un motivo diferente. En el caso de los abogados y los arquitectos la gente valora que son profesiones bien pagadas y con prestigio social. En el caso de los médicos, enfermeros, profesores, policías, los españoles valoran que son «socialmente útiles». Pocos consideran que estas profesiones están bien pagadas.

A la pregunta de qué recomiendan ser en un futuro a sus hijos o a sus buenos amigos, la mayoría aconseja ser médicos y, a gran distancia, arquitectos. El futuro profesional menos valorado es, según los encuestados, el de un militar o escritor.

ELPAIS.es / AGENCIAS - Madrid - 20/07/2006

¿Los más valorados?

b. ¿Cómo es en tu país? ¿Cómo considera la gente a los médicos? ¿La gente los trata de forma especial cuando los visita?

Acción

Describes el sistema universitario.

Explica cómo es el sistema de estudios universitarios de tu país. Aquí tienes el esquema del sistema español:

Léelo y observa las diferentes posibilidades, pruebas, etc.

1. Haz un pequeño esquema del sistema de tu país y preséntalo a la clase.
2. Explica a partir de cuándo se puede acceder a trabajar, las posibilidades de trabajo que se tienen en función de si se es diplomado, licenciado, etc.
3. ¿Tienen buenas posibilidades de trabajo las personas que estudian artes, deportes?
4. ¿Qué carreras abren más posibilidades de trabajar?

Cultura hispánica

1 TITULARES.
Lee los siguientes titulares sobre la salud de los españoles. ¿Cuál te interesa más? ¿Por qué?

HEMOS DUPLICADO NUESTRA ESPERANZA DE VIDA EN MENOS DE CIEN AÑOS

a

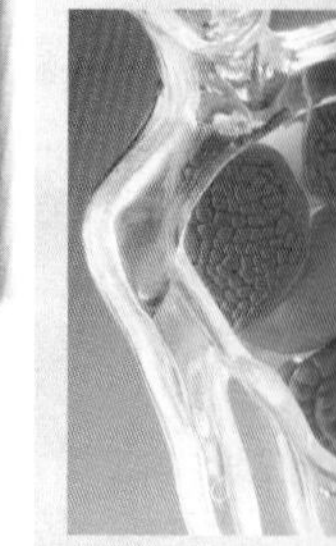

2 DATOS SOBRE LA SALUD.
Observa los siguientes datos del Instituto Nacional de Estadística y relaciónalos con los titulares de más arriba. Escribe un texto que explique los gráficos con los datos más importantes.

Evolución de la tasa de mortalidad infantil

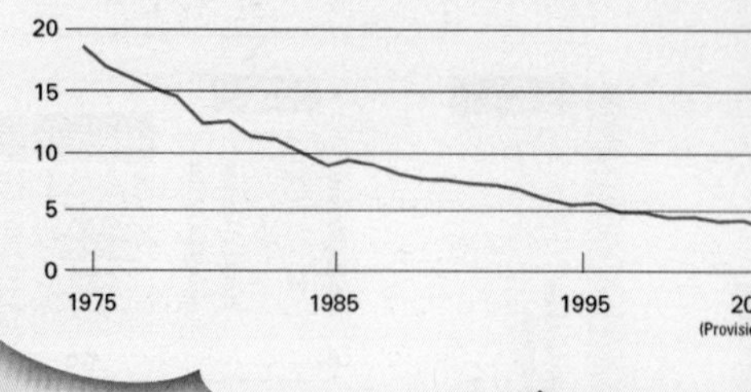

Percepción del estado de salud. 2003
% de población de cada grupo de edad

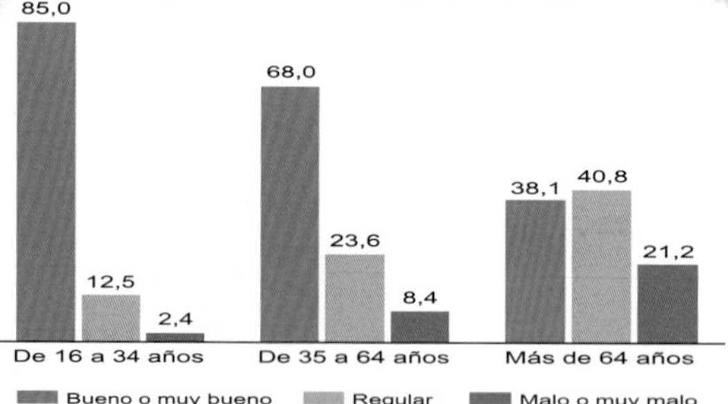

El **71,3%** de la población española considera que **su estado de salud** es **bueno o muy bueno**.

Médicos por 100.000 habitantes. 2001

Italia	603,1
Grecia	454,3
España*	**440,4**
Bélgica	418,7
Suecia	401,8
Lituania	380,0
República Checa	378,3
UE-15	363,3
Alemania	362,1
UE-25	**348,8**
Dinamarca	342,7
Eslovaquia	333,6
Francia	332,0
Países Bajos	329,0
Portugal	323,8
Austria	323,7
Luxemburgo**	315,1
Estonia	312,8
Malta	311,9
Finlandia	310,9
Letonia	295,7
Hungría	293,2
Chipre	255,4
Irlanda	239,6
Eslovenia	227,4
Polonia	224,4
Reino Unido**	179,5

Fuente: Eurostat *Fuente: INE **Año 2000

Donaciones de órganos por millón de habitantes 2003

Fuente: Consejo de Europa

País	Donaciones
España	**33,8**
Irlanda	21,1
Noruega	19,2
Portugal	19,0
Italia	18,5
Francia	18,3
Alemania	13,8
Polonia	13,7
Reino Unido	12,7

Ejemplo:
La tasa de mortalidad infantil refleja el nivel de desarrollo de un país y de sus servicios sanitarios. En España ha bajado, pasando de un 19 por mil en 1975 a menos de 4 por mil en 2003. En la Unión Europea en 2003, tan solo Finlandia y Suecia tienen un valor más bajo que España.

Todos estos datos son del Boletín informativo del Instituto Nacional de Estadística 02/2005.

El sistema sanitario en España

En la Europa de los 25, España es el tercer país con más recursos humanos sanitarios por habitante **b**

d *Un 13,6% de la población de 18 y más años padece obesidad*

España se convirtió en 1992 en líder mundial en donación y transplantes de órganos **c**

La tasa de mortalidad infantil es la tercera más baja de la Unión Europea, después de Finlandia y Suecia **e**

Un 13,6% de la población de 18 y más años padece obesidad. Este porcentaje casi se ha duplicado desde 1987, cuando era 7,4%. El aumento se produce tanto en hombres como en mujeres. ☐

3 LA SANIDAD PÚBLICA Y PRIVADA.

a. Ahora, escucha el siguiente texto sobre el sistema sanitario en España y completa el cuadro.

	Sistema público	Sistema privado
Número de personas que lo usan		
Forma de financiación		
Ventajas		
Inconvenientes		

b. Explica a tus compañeros cómo funciona la atención médica en tu país, y concreta las diferencias o semejanzas con el sistema español.

ENFOQUE arte

Ferran Adrià

CREACIONES CULINARIAS
2007

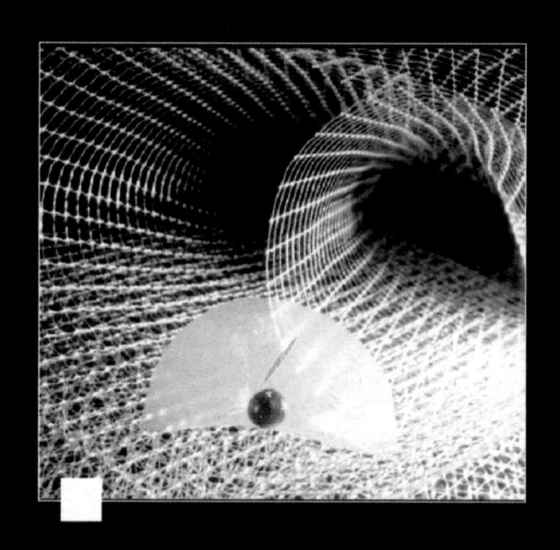

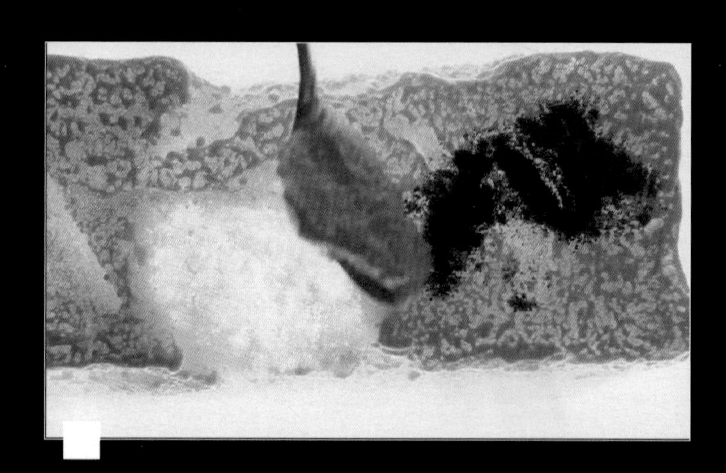

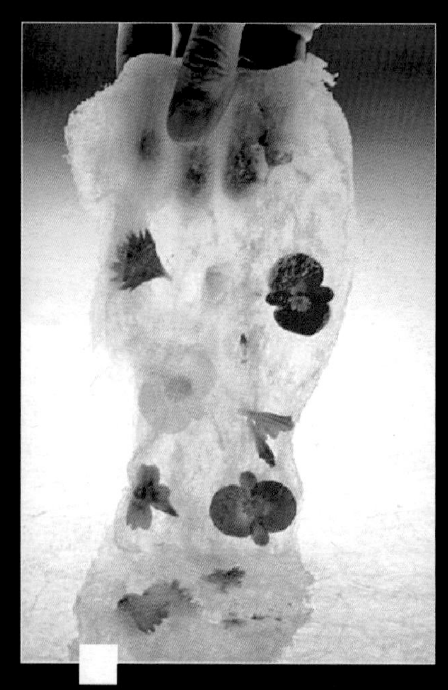

1. Aquí tienes los nombres de los cinco platos de las fotografías. Relaciona cada imagen con su nombre:
   a. «Papel de flores»
   b. «Piruletas de chocolate»
   c. «Momia de salmonete»
   d. «Aire helado de vainilla»
   e. «Empanadilla transparente»

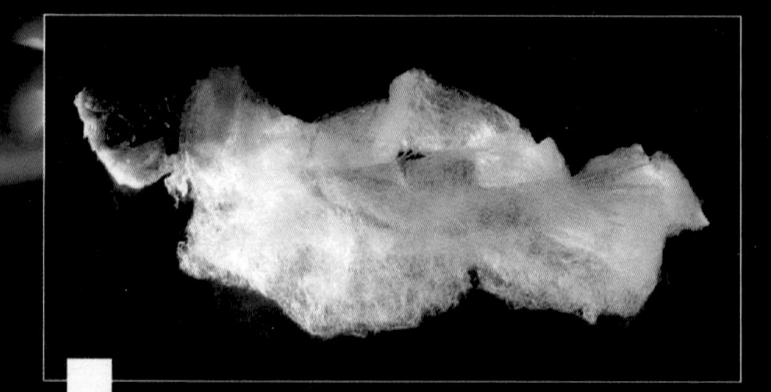

La gastronomía

Imaginativo, intuitivo, sensible, así es Ferran Adrià, el mejor cocinero del mundo según *The New York Times*. Según este periódico «España se ha convertido en la nueva Francia».

Nació en 1962 en Cataluña. Su restaurante, El Bulli, se ha convertido en uno de los puntos más importantes de la gastronomía. Ferran Adrià ha sido protagonista de las portadas de los más prestigiosos medios de todo el mundo: *Time, Le Monde, The New York Times, El País*. Se ha convertido en un mito de estos días, en un nuevo arte, la cocina. La originalidad, la singularidad y la innovación de Ferran Adrià están en sus comidas, creaciones únicas que proceden de una compleja investigación. Para él, la gastronomía implica que las personas usen todos sus sentidos: la vista, el olfato, el gusto, el tacto, e incluso el oído, escuchando el crujido de algunas de sus preparaciones. Ha recibido numerosos premios internacionales.

2. Elige uno de los platos y descríbelo: ¿qué ingredientes crees que contiene? ¿Cómo es su forma?
3. «La cocina es un lenguaje mediante el cual se puede expresar armonía, creatividad, felicidad, belleza, poesía, complejidad, magia, humor, provocación». Esa es una frase de Ferran Adrià. ¿Qué te parece esta afirmación? ¿Para ti qué es la cocina?
4. Ferran Adrià presentó su obra culinaria en la Documenta de Kassel* en 2007. Por primera vez en la historia un cocinero está presente en una muestra de arte. El director de la Documenta dijo: «Es importante decir que el arte no se puede identificar únicamente con fotografía, escultura, pintura, etc. Tampoco con el cocinar en general. Sin embargo, bajo ciertas condiciones, esto puede ser arte». Y tú, ¿qué piensas?

* Documenta de Kassel: exposición de arte contemporáneo.

→ Consulta la página web del restaurante de Ferran Adrià www.elbulli.com. Busca el catálogo general e identifica las características de la cocina de Adrià mirando sus fotos.

→ Encuentra documentación sobre la Documenta de Kassel 2007 y la presencia de Ferran Adrià. ¿Cómo participó en la muestra artística? Explícalo.

Ámbito Académico

Portfolio: evalúa tus conocimientos.

Nivel alcanzado

	Insuficiente	Suficiente	Bueno	Muy bueno

Después de hacer el módulo 6

Fecha: ....

Comunicación

- Puedo expresar posibilidad, necesidad y obligación.
Escribe las expresiones:

* Si necesitas más ejercicios, ve al punto 1 del Laboratorio de Lengua.

- Puedo expresar dolor y malestar.
Escribe las expresiones:

* Si necesitas más ejercicios, ve al punto 2 del Laboratorio de Lengua.

- Puedo pedir y conceder o denegar permiso y pedir cosas.
Escribe las expresiones:

* Si necesitas más ejercicios, ve al punto 3 del Laboratorio de Lengua.

Gramática

- Sé formar y utilizar el imperativo regular.
Escribe algunos ejemplos:

* Si necesitas más ejercicios, ve al punto 4 del Laboratorio de Lengua.

- Sé las perífrasis *hay que* + infinitivo, *tener que* + infinitivo y *poder* + infinitivo.
Escribe algunos ejemplos:

* Si necesitas más ejercicios, ve al punto 5 del Laboratorio de Lengua.

- Sé algunos imperativos irregulares y cómo colocar los pronombres con imperativo.
Escribe algunos ejemplos:

* Si necesitas más ejercicios, ve al punto 6 del Laboratorio de Lengua.

Vocabulario

- Conozco el vocabulario básico del cuerpo humano.
Escribe las palabras que recuerdas:

* Si necesitas más ejercicios, ve al punto 7 del Laboratorio de Lengua.

- Conozco el vocabulario básico para hablar de la asistencia sanitaria.
Escribe las palabras que recuerdas:

* Si necesitas más ejercicios, ve al punto 8 del Laboratorio de Lengua.

- Conozco el vocabulario básico para hablar de estudios universitarios, pruebas y exámenes.
Escribe las palabras que recuerdas:

* Si necesitas más ejercicios, ve al punto 9 del Laboratorio de Lengua.

LABORATORIO DE LENGUA

Comunicación

1. Expresar posibilidad, necesidad y obligación.

a. Aquí tienes una serie de actividades. Indica qué se puede hacer y qué no se puede hacer en tu país.

1. Preguntar a la gente cuánto dinero gana.
2. Conducir a más de 120 km/hora en autopistas.
3. Fumar en locales (bares, restaurantes, etc.).
4. Comprar en supermercados hasta las 9 ó 10 de la noche.
5. Votar a los 18 años.
6. Cenar a las 10 u 11 de la noche en los restaurantes.
7. Cenar a las 8 de la tarde en los restaurantes.
8. Recibir un regalo y no abrirlo delante de la persona que lo ha regalado.

Tu profesor te dirá cómo es en España.

educoWeb

- ✓ Saber por qué se quiere dejar de fumar.
- ✓ Tomar la decisión con una actitud positiva.
- ✓ Decidir rápidamente, en pocos días (la peor parte está en los tres primeros días).
- ✓ Hacer una dieta: tomar comidas ligeras, muchas frutas y verduras, no tomar carnes ni pescados fritos, postres azucarados, ni mostaza, pimienta... (producen ansia de fumar).
- ✓ Beber muchos líquidos: 5 ó 6 vasos de agua al día, o zumos de frutas naturales, o leche.
- ✓ No beber alcohol, la asociación fumar/alcohol es una pareja casi inseparable.
- ✓ Darse frecuentes duchas y baños durante la primera semana.
- ✓ Respirar más oxígeno, moverse y pasear.
- ✓ Tener hábitos fijos: ir a la cama pronto, dormir 8 horas, comer a horas fijas.
- ✓ Tener una ayuda exterior, de amigos y familiares.
- ✓ Darse una oportunidad para triunfar. Muchas personas lo consiguen, ¿por qué usted no?

http://www.educoweb.com/dejar_de_fumar_decalogo.asp

b. Aquí tienes algunos consejos para dejar de fumar. Elige los 5 mejores y escribe un texto con cosas que tenemos que o que hay que hacer o que no se pueden hacer:

Ejemplo: Para dejar de fumar, hay que tener ayuda de los amigos. No se puede beber alcohol y tenemos que tener hábitos fijos. Además...

2. Expresar dolor y malestar.

a. Describe el dolor.

Ejemplo: Dolor de oídos. Me duelen los oídos./Tengo dolor de oídos.

1. Pies doloridos ....
2. Resfriado, tos, mucosidad ....
3. Dolor de garganta ....
4. Dolor de cabeza ....
5. Dolor de muelas ....

3. Pedir y conceder o denegar permiso y pedir cosas.

a. Escribe diálogos como el ejemplo.

1. Quieres usar el diccionario de una amiga.
2. Quieres comerte las últimas galletas.
3. Quieres usar el teléfono de alguien.
4. Quieres bajar la tele.

Ejemplo:

- *¿Puedo usar tu diccionario?*
- *Sí, claro, cógelo, cógelo.*

- *¿Puedo usar tu diccionario?*
- *No, lo siento. Es que lo necesito yo.*

Recuerda que para dar permiso, lo normal es repetir algún elemento.

Gramática

4. Imperativo regular.

a. Pídele a tu compañero estas cosas. Utiliza el imperativo y recuerda que es mejor añadir «por favor»:

- → abrir la ventana.
- → dejarte un bolígrafo.
- → pasarte el diccionario.
- → ayudarte a hacer los deberes.
- → bajar la música.
- → quitar la tele.
- → escribir en un papel su dirección.
- → comprarte el periódico.
- → llamarte por teléfono mañana.
- → traerte un café.

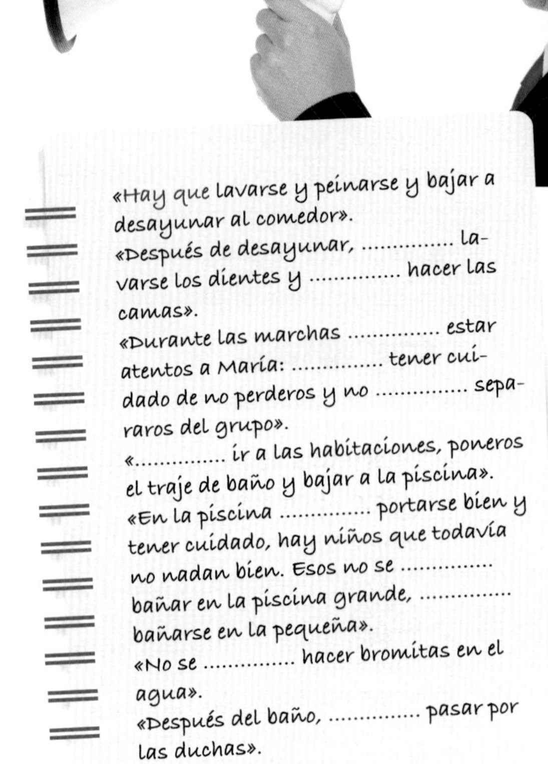

5. Perífrasis hay que + infinitivo, tener que + infinitivo y poder + infinitivo.

a. Un monitor de un grupo de niños les ha dado estas instrucciones, complétalas con:

- → tienen que
- → hay que
- → tenéis que
- → podéis
- → pueden

6. Imperativos irregulares.

a. Lee estas frases y pon las formas del imperativo en la casilla correspondiente.

1. María, dame la botella, por favor.
2. Dime, ¿has pensado ya qué quieres hacer?
3. Ponga las cosas en esa habitación y venga conmigo, le voy a enseñar la escuela.
4. Ten, los libros que me dejaste.
5. A ver, deme esas cajas.
6. Sal por ese pasillo y gira a la izquierda.
7. Haga estos informes para mañana.
8. Jaime, ven un momento a la cocina y trae la ropa que está encima de la cama.
9. Pon los libros en esa mesa.
10. Salga con cuidado, hay un escalón.
11. Tenga cuidado, es un barrio un poco peligroso.
12. Sí, ¿dígame?
13. Traiga dos cafés, por favor.
14. De acuerdo, pero haz todo lo posible.

	DAR	PONER	HACER	DECIR	VENIR	TENER	TRAER	SALIR
Tú								
Usted								
Vosotros/as								
Ustedes								

b. Transforma las frases en plural. Después, completa la tabla.

Vocabulario

7. El cuerpo humano.

69 **a.** Vas a escuchar las instrucciones para dibujar una figura humana. Escucha y pon las palabras en la parte del cuerpo correspondiente y en el orden en que las dicen:

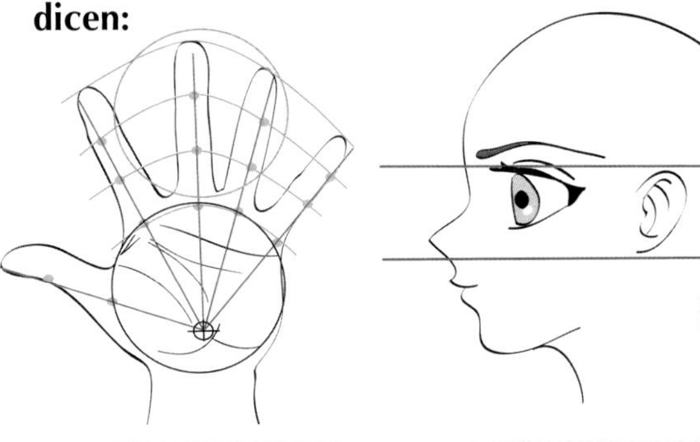

☐ .... ☐ .... ☐ .... ☐ ....

b. Si quieres, puedes hacer tú un dibujo de una figura humana.

8. La asistencia sanitaria.

a. Lee este texto y subraya las palabras que se refieren al sistema sanitario y a los profesionales de la salud.

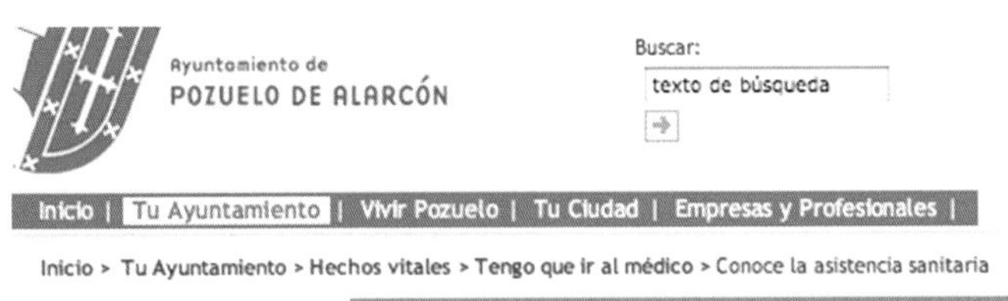

Inicio | Tu Ayuntamiento | Vivir Pozuelo | Tu Ciudad | Empresas y Profesionales |

Inicio > Tu Ayuntamiento > Hechos vitales > Tengo que ir al médico > Conoce la asistencia sanitaria

- Tu Ayuntamiento
- Hechos vitales
  - Nace un hijo
  - Busco trabajo
  - Busco colegio
  - Quiero vender mi coche
  - Me jubilo
  - Busco casa
  - Quiero casarme
  - Tengo que ir al médico
    - Conoce la asistencia sanitaria
    - Asistencia en el extranjero
    - Gestiones y trámites
    - Centros de salud
  - Pienso montar un negocio
  - Fallece un familiar

La asistencia sanitaria en España

Atención primaria: Se atiende a las personas en consultas, servicios y centros de salud. Se hacen tratamientos, prescripciones y se realizan pruebas.

Atención especializada: Incluye la asistencia especializada en consultas y hospitales, el tratamiento de la salud mental y psiquiátrica y los servicios de urgencia hospitalaria. Las personas tienen acceso a estos servicios a través del médico general (de cabecera) o del médico especialista.

Prestaciones farmacéuticas: Para todo tipo de medicamentos.

Tienen derecho a la asistencia sanitaria todos los españoles y ciudadanos extranjeros con residencia en España.

Todos los extranjeros que se encuentren en España tienen derecho a asistencia de urgencia por enfermedad grave o accidente.

Para ser atendido en consulta por cualquier profesional (medicina de familia, pediatría, enfermería, matrona, fisioterapeuta, trabajador social o asistencia en casa), hay que pedir cita previa, bien telefónicamente o bien personalmente.

Adaptado de http://www.pozuelodealarcon.es/index.asp?MP=1&MS=645&MN=4

9. Los estudios universitarios.

a. Vas a escuchar una pequeña conversación entre una orientadora de estudios y una persona. Lee estas preguntas, escucha y responde:

1. ¿Qué quiere estudiar?
2. ¿Cuántos años tiene?
3. ¿Va a hacer el examen de Selectividad?
4. ¿Cómo es el examen que tiene que hacer?
5. ¿Qué pruebas tiene?

Contenidos gramaticales

El género de los sustantivos.

Los sustantivos

Los sustantivos terminados en **–o** son generalmente masculinos.
Los sustantivos terminados en **–a** son generalmente femeninos.
Los sustantivos que terminan en **–ema** son masculinos.
Los sustantivos que terminan en **–or** son generalmente masculinos.
Los sustantivos que terminan en **–ista** pueden ser masculinos o femeninos.

Ver módulo 1, pág. 17

El género

Masculino **–o** cambia a femenino **–a**.

Algunas palabras tienen el masculino en **–or** y el femenino en **–ora.**

Especiales

actor — ac**triz**
emperador — empera**triz**

¡Ojo!
la man**o**
la radi**o**
la fot**o**

Ver módulo 1, pág. 17

Ser y estar con adjetivos

SER
Queremos describir el carácter de una persona, sus características esenciales.
Es inteligente.

ESTAR
Hablamos del estado de ánimo de una persona.
Está cansado.

Ver módulo 1, pág. 10

Las oraciones causales.

Las oraciones causales

«porque lo más importante es conseguir clientes».	**PORQUE**	Se usa cuando la causa se dice en segunda posición: *No voy a ir a la fiesta porque no tengo tiempo.*
«• Pero no es fácil encontrar a una persona así. • Claro, y como no es fácil, tenemos que entrevistar a muchas más personas».	**COMO**	Presenta la situación previa. Se usa cuando la causa se dice en primera posición: *Como no tengo tiempo, no voy a ir a la fiesta.*
«Es que eso es carísimo…».	**ES QUE…**	Se usa cuando queremos justificarnos o ser amables con la otra persona: *Perdón, no puedo ir a tu fiesta, es que no tengo tiempo.*
«evitar el caos y los problemas por falta de experiencia…».	**POR**	Se usa con sustantivos. Normalmente expresa una causa negativa: *No voy a ir a la fiesta por tu culpa.*

Ver módulo 1, pág. 22

Por qué y porque

Por qué, en dos palabras y con tilde, se utiliza para formular preguntas.
Porque, en una palabra, se utiliza para explicar una causa.
¿Por qué vas al cine? Porque me gusta.

Ver módulo 1, pág. 23

Encantar, molestar y parecer.

Encantar y molestar

A mí A ti A él, ella, usted A nosotros, nosotras A vosotros, vosotras A ellos, ellas, ustedes	me te le nos os les	encanta(n) molesta(n) + (adverbio de cantidad) *Me encantan estos pantalones.* *Me molesta la gente mal vestida.*	sustantivo singular sustantivo plural infinitivo

Parecer

A mí A ti A él, ella, usted A nosotros, nosotras A vosotros, vosotras A ellos, ellas, ustedes	sustantivo singular sustantivo plural infinitivo *A mí, estos zapatos me parecen bonitos.*	me te le nos os les	parece parecen	adjetivo o adverbio

Ver módulo 3, pág. 67

Los pronombres qué y cuál y los adverbios.

Qué / cuál

Preguntar por cosas de diferente tipo	*¿Qué* + verbo? *¿Qué prefieres, té o café?*
Preguntar por cosas del mismo tipo	*¿Qué* + objeto? *¿Qué zapatos te gustan más?* *¿Cuál* + verbo? *¿Cuál te gusta más, este o ese?*

Ver módulo 3, pág. 68

Mucho/bastante/poco

+
- me gusta(n) muchísimo
- me gusta(n) mucho
- me gusta(n) bastante
- me gusta(n)
- me gusta(n) un poco
- me gusta(n) poco
- no me gusta(n) mucho
- no me gusta(n)
- no me gusta(n) nada

–

Ver módulo 3, pág. 67

El pronombre exclamativo qué

¡*Qué* + adjetivos / sustantivos / frases!

¡Qué guapo! / ¡Qué libro más bonito!
¡Qué ojos más bonitos tienes!
¡Qué bien hablas español!
¡Qué simpático eres!

Ver módulo 1, pág. 18

Los pronombres de objeto directo e indirecto.

Objeto directo e indirecto

Directo:	Compro ***flores.***	***Las*** compro.
Indirecto:	Compro *flores* ***a María.***	***Le*** compro flores.
Directo e indirecto:	Compro ***flores a María.***	***Se las*** compro.

Ver módulo 3, pág. 74

Pronombres personales

Pronombres personales	Objeto directo	Objeto indirecto
Yo	**Me**	**Me**
Tú	**Te**	**Te**
Él, usted	**Lo**	**Le > Se**
Ella, usted	**La**	
Nosotros, nosotras	**Nos**	**Nos**
Vosotros, vosotras	**Os**	**Os**
Ellos, ustedes	**Los**	**Les > Se**
Ellas, ustedes	**Las**	

Cuando el indirecto viene seguido de un directo, *le* se cambia a *se*.

Cuando el indirecto viene seguido de un directo, *les* se cambia a *se*.

Ver módulo 3, pág. 74

El pronombre de objeto directo

El pronombre personal de objeto directo se coloca *delante* del verbo conjugado.

El pronombre personal de objeto directo se coloca *detrás* del verbo en infinitivo.

Ver módulo 3, pág. 73

Las estructuras comparativas.

	Verbo	Sustantivo	Adjetivo
+	**Más que** *Las mujeres de hoy pesan más que las de la generación del yogur.*	**Más... que** *Los hombres de la generación del yogur tienen más años que los de hoy.*	**Más... que** *Las mujeres de hoy son más altas que las de la generación del yogur.*
–	**Menos que** *Las mujeres de hoy pesan menos que los hombres de la misma generación.*	**Menos... que** *Las mujeres de la generación del yogur tienen menos años que las de la posguerra.*	**Menos... que** *Las mujeres de hoy son menos altas que los hombres de hoy.*
=	**Tanto como** *Las mujeres de la generación del yogur pesan tanto como las de la posguerra.*	**Tantos/as... como** *Las mujeres de hoy tienen tantos años como los hombres de la misma generación.*	**Tan... como** *Los hombres de la generación del yogur son tan altos como los europeos.*

Ver módulo 4, pág. 95

Comparativos y superlativos.

Algunos comparativos irregulares

Bueno > mejor *Esta película es mejor que la otra.*
Malo > peor *Pues no, a mí me parece que esta es peor que la otra.*
Grande > mayor (tamaño y edad) *Tengo 25 años, mi hermano es mayor que yo, tiene 30 y mi hermana es*
Pequeño > menor (tamaño y edad) *menor que yo, tiene 22.*

Ver módulo 4, pág. 95

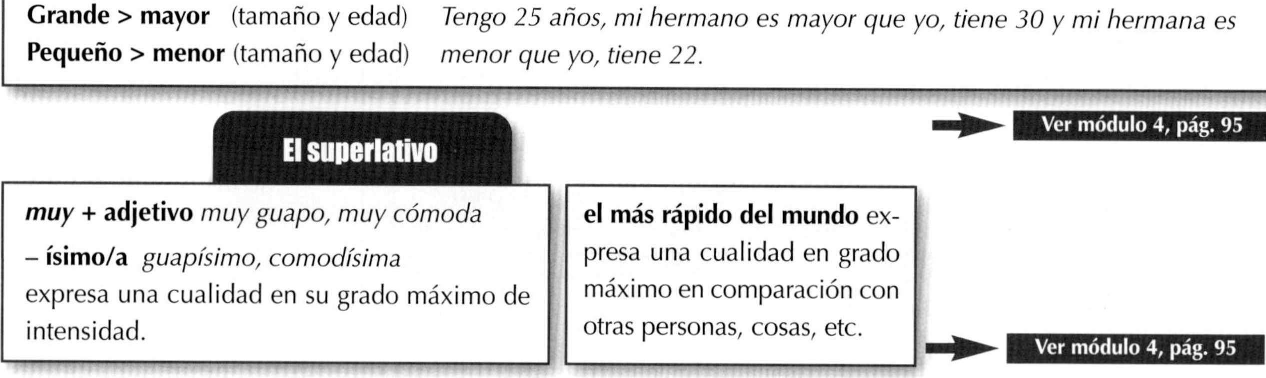

El superlativo

muy **+ adjetivo** *muy guapo, muy cómoda*
– **ísimo/a** *guapísimo, comodísima*
expresa una cualidad en su grado máximo de intensidad.

el más rápido del mundo expresa una cualidad en grado máximo en comparación con otras personas, cosas, etc.

Ver módulo 4, pág. 95

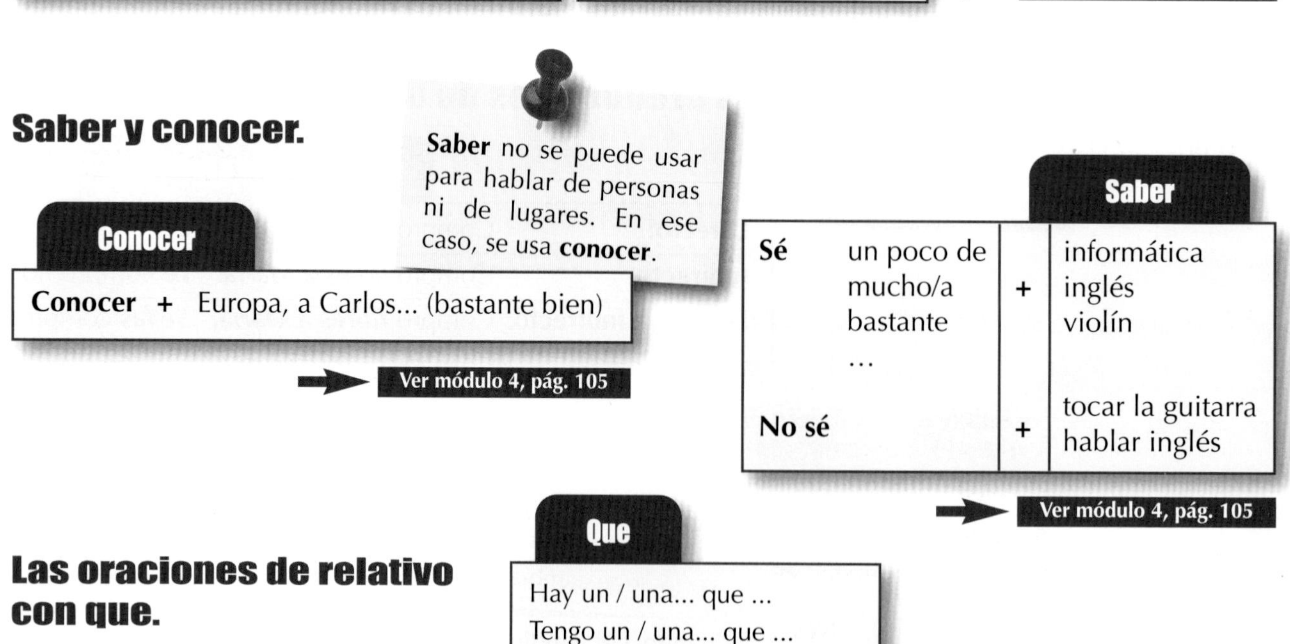

Saber y conocer.

Saber no se puede usar para hablar de personas ni de lugares. En ese caso, se usa **conocer**.

Conocer

Conocer + Europa, a Carlos... (bastante bien)

Ver módulo 4, pág. 105

Saber

Sé	un poco de mucho/a bastante ...	+	informática inglés violín
No sé		+	tocar la guitarra hablar inglés

Ver módulo 4, pág. 105

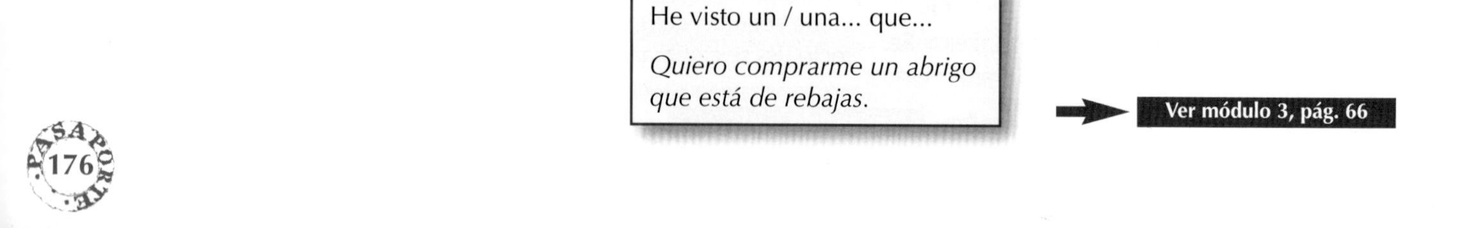

Las oraciones de relativo con que.

Que

Hay un / una... que ...
Tengo un / una... que ...
He visto un / una... que...

Quiero comprarme un abrigo que está de rebajas.

Ver módulo 3, pág. 66

Los adjetivos posesivos.

			Poseedor					
			Un poseedor			Varios poseedores		
			Yo	Tú	Usted, él, ella	Nosotros, nosotras	Vosotros, vosotras	Ustedes, ellos, ellas
Objeto o persona poseída	Uno	Masculino	mi	tu	su	nuestro	vuestro	su
		Femenino				nuestra	vuestra	
	Varios	Masculinos	mis	tus	sus	nuestros	vuestros	sus
		Femeninos				nuestras	vuestras	

Su y **sus** pueden referirse a una o varias personas:

su *colega puede ser el colega de María, el colega de Alberto* o el *colega de María y Alberto*. Por eso, cuando no está claro, se utiliza **de + nombre**: *el colega de María*.

Ver módulo 4, pág. 106

Los pronombres posesivos.

		Yo	Tú	Usted, él, ella	Nosotros, nosotras	Vosotros, vosotras	Ustedes, ellos, ellas
Masculino	Singular	mío	tuyo	suyo	nuestro	vuestro	suyo
	Plural	míos	tuyos	suyos	nuestros	vuestros	suyos
Femenino	Singular	mía	tuya	suya	nuestra	vuestra	suya
	Plural	mías	tuyas	suyas	nuestras	vuestras	suyas

Ver módulo 4, pág. 107

También y tampoco.

También y tampoco

- *Mi casa es pequeña.*
- *La mía* ***también****.*

- *A mi abuela no le gusta el arte moderno.*
- *A la mía* ***tampoco****.*

- *A mí me gusta tu coche.*
- *A mí el tuyo* ***también*** */* ***no****.*

Ver módulo 4, pág. 107

El pretérito indefinido.

Regulares

-ar	-er	-ir
Casarse	**Nacer**	**Vivir**
me casé	*nací*	*viví*
te casaste	*naciste*	*viviste*
se casó	*nació*	*vivió*
nos casamos	*nacimos*	*vivimos*
os casasteis	*nacisteis*	*vivisteis*
se casaron	*nacieron*	*vivieron*

Ver módulo 2, pág. 38

Irregulares

Ir y ser*	Estar	Tener	Hacer
fui	*estuve*	*tuve*	*hice*
fuiste	*estuviste*	*tuviste*	*hiciste*
fue	*estuvo*	*tuvo*	*hizo*
fuimos	*estuvimos*	*tuvimos*	*hicimos*
fuisteis	*estuvisteis*	*tuvisteis*	*hicisteis*
fueron	*estuvieron*	*tuvieron*	*hicieron*

* IR Y SER: la conjugación de estos dos verbos en pretérito indefinido es idéntica.

Ver módulo 2, pág. 38

Andar	Querer	Poder	Saber	Poner	Venir
anduve	*quise*	*pude*	*supe*	*puse*	*vine*
anduviste	*quisiste*	*pudiste*	*supiste*	*pusiste*	*viniste*
anduvo	*quiso*	*pudo*	*supo*	*puso*	*vino*
anduvimos	*quisimos*	*pudimos*	*supimos*	*pusimos*	*vinimos*
anduvisteis	*quisisteis*	*pudisteis*	*supisteis*	*pusisteis*	*vinisteis*
anduvieron	*quisieron*	*pudieron*	*supieron*	*pusieron*	*vinieron*

Ver módulo 2, pág. 60

Los marcadores temporales.

Al y a los

A los + *número de años*
A los + *años* + de + *algo*
Al + *un verbo*

Se utiliza **a los + *número de años*** para expresar la edad a la que se realizó algo, **a los + *años* + de + *algo*** para indicar el tiempo entre dos acciones o acontecimientos; **al + *un verbo*** para indicar que algo ocurre después de otra acción y **en aquella época** para referirse a un periodo.

Ver módulo 2, pág. 40

antes de
durante
después de
en
de… a…
de… hasta…

1. en un momento concreto. → **En** + *fecha*
2. entre dos fechas o dos acontecimientos. → **Desde** + *año o dato* + **hasta** + *año o dato*
3. entre dos fechas. → **De** + *año* + **a** + *año*
4. en un periodo. → **Durante** + *periodo*
5. En un periodo posterior. → **Después de** + *dato o fecha*
6. En un periodo anterior. → **Antes de** + *dato o fecha*

de… a… / desde… hasta…

de… a… solo se utiliza con fechas (horas, días, meses o años).
desde… hasta… también con datos o acontecimientos.

Ver módulo 2, pág. 45

Hace, desde hace y hace que

Hace	Indicar **cuándo** ocurrió un hecho pasado.
Desde hace	Indicar **el principio** de una situación presente.
Hace que	Expresar **el tiempo transcurrido** desde que ocurrió algo.

Ver módulo 2, pág. 51

El pretérito perfecto.

Haber		
Yo	*he*	
Tú	*has*	
Usted, él, ella	*ha*	+ ...-*ado*
Nosotros/as	*hemos*	
Vosotros/as	*habéis*	+ ...-*ido*
Ustedes, ellos, ellas	*han*	

Ver módulo 3, pág. 76

Con el indefinido	Con el perfecto
El otro día	Hoy
Anteayer	Esta mañana
Ayer	Esta semana
En 199...	
	Nunca
En diciembre	Una vez (no sabemos o no importa cuándo)
Hace... (unos años, dos meses...)	Muchas veces

1. El otro día → Fui al cine.
2. En 199... → Nací.
3. Ayer → Me levanté tarde.
4. Hoy → He venido a clase.
5. Esta mañana → Me he levantado pronto.
6. En diciembre → Estuve celebrando la Navidad con mi familia.

Ver módulo 3, pág. 78

Verbos irregulares en presente.

– Verbos con diptongo.

	Preferir Verbos que cambian **e** a ***ie*** en algunas personas	**Poder** Verbos que cambian ***o*** a ***ue*** en algunas personas **(dormir, contar)**	**Pedir** Verbos que cambian **e** a ***i*** en algunas personas **(repetir)**	**Salir** Verbos que tienen ***-go*** en la primera persona **(decir, hacer)**
Yo	*prefiero*	*duermo*	*repito*	*salgo*
Tú	*prefieres*	*duermes*	*repites*	*sales*
Él, ella, usted	*prefiere*	*duerme*	*repite*	*sale*
Nosotros, nosotras	*preferimos*	*dormimos*	*repetimos*	*salimos*
Vosotros, vosotras	*preferís*	*dormís*	*repetís*	*salís*
Ellos, ellas, ustedes	*prefieren*	*duermen*	*repiten*	*salen*

Ver módulo 4, pág. 100

– Verbos con irregularidad en la primera persona del singular.

	Tener	Venir	Decir
Yo	*tengo*	*vengo*	*digo*
Tú	*tienes*	*vienes*	*dices*
Él, ella, usted	*tiene*	*viene*	*dice*
Nosotros, nosotras	*tenemos*	*venimos*	*decimos*
Vosotros, vosotras	*tenéis*	*venís*	*decís*
Ellos, ellas, ustedes	*tienen*	*vienen*	*dicen*

Dar	Saber	Ser
doy	*sé*	*soy*
das	*sabes*	*eres*
da	*sabe*	*es*
damos	*sabemos*	*somos*
dais	*sabéis*	*sois*
dan	*saben*	*son*

Ver módulo 4, pág. 100

– El verbo *doler*.

Verbo doler			
A mí	me		
A ti	te		
A él, ella, usted	le		el cuerpo
A nosotros, nosotras	nos	duele(n)	la cabeza
A vosotros, vosotras	os		los pies
A ellos, ellas, ustedes	les		

Ver módulo 6, pág. 150

El pretérito imperfecto.

	Regulares			Irregulares		
	Trabajar	Tener	Vivir	Ser	Ir	Ver
Yo	*trabajaba*	*tenía*	*vivía*	*era*	*iba*	*veía*
Tú	*trabajabas*	*tenías*	*vivías*	*eras*	*ibas*	*veías*
Él, ella, usted	*trabajaba*	*tenía*	*vivía*	*era*	*iba*	*veía*
Nosotros, nosotras	*trabajábamos*	*teníamos*	*vivíamos*	*éramos*	*íbamos*	*veíamos*
Vosotros, vosotras	*trabajabais*	*teníais*	*vivíais*	*erais*	*ibais*	*veías*
Ellos, ellas, ustedes	*trabajaban*	*tenían*	*vivían*	*eran*	*iba*	*veían*

Ver módulo 5, pág. 121

Ver módulo 5, pág. 121

Usos del imperfecto y del indefinido.

Describir las circunstancias alrededor de una acción

Vivíamos *en un piso de 60 metros...*
Estaba *muy estresado...*
... no ***tenía*** *tiempo para los niños ni para nada.*
... todo ***era*** *muy caro...*

Expresar acciones y acontecimientos

... así que ***dejamos*** *nuestros trabajos,*
alquilamos *el piso a unos amigos y*
nos ***vinimos*** *aquí, al pueblo de mi mujer.*

Ver módulo 5, pág. 122

Uso del imperfecto	Uso del indefinido
Circunstancias, descripciones, situaciones y acciones habituales	Acciones y acontecimientos en general. Acciones en periodos delimitados

Nota: en una misma frase se pueden utilizar los 2 tiempos verbales.
Estaba cansado, era muy tarde y al día siguiente tenía que levantarse pronto y se fue a dormir.

Ver módulo 5, pág. 134

Usos del imperfecto y del presente.

Cuando hablamos del pasado, describiendo lo que se hacía, cómo eran las cosas etc., y lo comparamos con el presente, usamos:

ANTES + IMPERFECTO *AHORA* + PRESENTE

Antes... **Ahora...**

Antes *los niños podían jugar en la calle.* ***Ahora*** *no pueden, porque es más peligroso.*

Ver módulo 5, pág. 130

El imperativo.

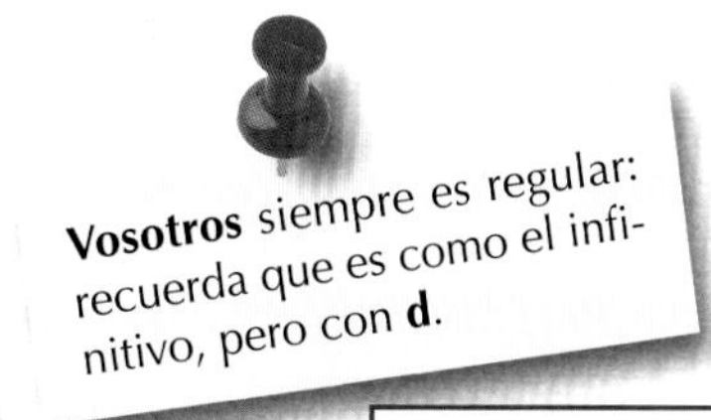

	Tom-ar	Beb-er	Abr-ir
Tú	*tom-**a***	*beb-**e***	*abr-**e***
Usted	*tom-**e***	*beb-**a***	*abr-**a***
Vosotros/as	*tom-**ad***	*beb-**ed***	*abr-**id***
Ustedes	*tom-**en***	*beb-**an***	*abr-**an***

✔ La forma para **vosotros/as** es como el infinitivo, pero cambiando la **-r** por **-d**: abri**r** > abri**d**.

Ver módulo 6, pág. 151

Los imperativos irregulares.

Ver módulo 6, pág. 163

✔ Las formas de **usted** y **ustedes** vienen de la forma **yo** del presente, cambiando **-o** en **-a**:

traigo > traiga (Ud.)
traigan (Uds.)

pongo > ponga (Ud.)
pongan (Uds.)

	Dar	Poner	Hacer	Decir	Venir	Tener	Traer	Salir
Tú	*da*	*pon*	*haz*	*di*	*ven*	*ten*	*trae*	*sal*
Usted	*dé*	*ponga*	*haga*	*diga*	*venga*	*tenga*	*traiga*	*salga*
Vosotros/as	*dad*	*poned*	*haced*	*decid*	*venid*	*tened*	*traed*	*salid*
Ustedes	*den*	*pongan*	*hagan*	*digan*	*vengan*	*tengan*	*traigan*	*salgan*

La colocación del pronombre

*Quéde**se** en la cama tres días.*
*Quéda**te** en casa.*

Con el imperativo, los pronombres se ponen detrás.

Ver módulo 6, pág. 151

Las perífrasis hay que + infinitivo, tener que + infinitivo y poder + infinitivo y la posición de los pronombres.

✔ Para expresar **obligación o necesidad** de forma **impersonal** se utiliza ***hay que*** **+ infinitivo**.

✔ Para expresar **obligación o necesidad** de forma **personal** se utiliza ***tener que*** **+ infinitivo**.

✔ Para expresar **permiso o posibilidad** se utiliza ***poder*** **+ infinitivo**.

Ver módulo 6, pág. 155

¿Y hay que traer algún calzado especial...?

... él te puede explicar cómo son las clases.

... no se puede llegar con retraso.

Tienes que traer un pantalón cómodo y una camiseta.

«Tienes que escribirme todos los días».
«Me tienes que escribir todos los días».
«¿Seguro que me puedo quedar en casa de tu mamá?».
«¿Seguro que puedo quedarme en casa de tu mamá?».

Con las perífrasis, los pronombres se pueden poner **antes** o **después** (**unidos al infinitivo**), pero no en medio.

«Hay que terminarlo pronto».
«Hay que dárselo a Juan».

Con ***hay que*** **+ infinitivo**, el pronombre no puede ir antes, **siempre va después**.

Ver módulo 6, pág. 157

Fonética y ortografía

Abecedario

A, a	A de **A**mérica	N, n	Ene de **N**icaragua
B, b	Be de **B**rasil	Ñ, ñ	Eñe de Espa**ñ**a
C, c	Ce de **C**anadá	O, o	O de **O**slo
Ch, ch	Che de **Ch**ile	P, p	Pe de **P**erú
D, d	De de **D**inamarca	Q, q	Cu de **Q**uito
E, e	E de **E**cuador	R, r	Erre de **R**usia
F, f	Efe de **F**rancia	S, s	Ese de **S**alvador
G, g	Ge de **G**recia	T, t	Te de **T**únez
H, h	Hache de **H**onduras	U, u	U de **U**ruguay
I, i	I de **I**talia	V, v	Uve de **V**enezuela
J, j	Jota de **J**apón	W, w	Uve doble de **W**ashington
K, k	Ka de **K**uwait	X, x	Equis de **X**ochicalco
L, l	Ele de **L**uxemburgo	Y, y	Y griega de Paragua**y**
Ll, ll	Elle de Anti**ll**as	Z, z	Zeta de **Z**aragoza
M, m	Eme de **M**éxico		

La tilde

1. Todas las palabras terminadas en vocal, **–n** o **–s** tienen la sílaba fuerte en la penúltima. Si no es así, llevan escrito un acento (tilde).

2. Todas las palabras terminadas en consonante, excepto **–n** o **–s**, llevan el acento en la última sílaba, excepto si tienen un acento escrito (tilde).

3. Cuando las palabras tienen el acento tónico en la antepenúltima sílaba, siempre se escribe la tilde.

Ver módulo 1, pág. 12

El silabeo.

Sílaba abierta

La sílaba más frecuente en español está formada por una consonante y una vocal.

Separación de vocales

Si hay dos vocales, se separan, excepto si una de las vocales es **i** o **u** sin acento (ni escrito ni pronunciado).

La separación en sílabas te ayuda a pronunciar y te sirve para separar las palabras cuando, al escribir, llegas al final de una línea.

Ver módulo 1, pág. 18

La separación de sílabas de grupos de letras.

Excepción: las letras l y r

Las consonantes **l** y **r** siempre van unidas a la consonante que está antes, excepto si esta es **s** o **n**.

Ver módulo 4, pág. 96

Separación de consonantes

Si hay dos consonantes juntas, cada una va en una sílaba diferente, excepto **ch**, **ll** y **rr**, porque son un solo sonido en español.

Ver módulo 1, pág. 24

La unión de palabras en la cadena hablada.

Cuando hablamos, no pronunciamos las palabras una a una, separada cada una de la siguiente. Las palabras se unen unas con otras y pronunciamos las frases como una gran palabra, que se divide en sílabas, como las que conoces ya.

Ver módulo 4, pág. 102

¿Diptongo o hiato?

- ✔ La **i** o la **u**, **sin acento**, delante o detrás de **a, e, o, u, i,** forman un **diptongo** con la otra vocal, es decir, se une a ella y se pronuncian en la misma sílaba.
- ✔ La **i** y la **u** juntas también son diptongo, es decir, se pronuncian unidas.
- ✔ Cuando el acento pronunciado está sobre la **i** o la **u** de un **diptongo**, este se rompe y las dos vocales dejan de pronunciarse en la misma sílaba: esto se llama **hiato**.
- ✔ En este caso, además, el acento se escribe.

Ver módulo 5, pág. 123

Triptongo.

Triptongo

Tres vocales juntas **a**, **o**, **e** en el centro y **u** o **i** al principio y al final se pronuncian en una sílaba, si el acento (pronunciado o escrito) está en la **a**, **o**, **e**, esto se llama **triptongo**.

Ver módulo 5, pág. 130

Cuando el acento (pronunciado o escrito) está en la **u** o en la **i**, el triptongo se rompe y la vocal acentuada queda en otra sílaba.

En este caso, como en el caso de los diptongos, el acento se escribe.

Pistas CD

Módulo 1: Hablar de las personas.
Pista 1
¡Estoy muy contenta!
Pista 2
Mi amor.
Pista 3
El acento.
Pista 4
Los jóvenes y la televisión.
Pista 5
¡Qué guapo estás!
Pista 6
Ahora tú.
Pista 7
En mi opinión...
Pista 8
Es que, por falta de tiempo, no puedo ir.
Pista 9
¡Jesús!
Pista 10
Ar-tis-ta.
Pista 11
Las características profesionales.

Módulo 2: Hablar del pasado.
Pista 12
Los momentos importantes de la vida.
Pista 13
Describir un cuadro.
Pista 14
Abstracto, clásico, crítico.
Pista 15
Ahora tú.
Pista 16
Una tarde en el Museo del Prado.
Pista 17
Sofía hace una entrevista de trabajo.
Pista 18
¿Cuándo se pronuncia [Θ] y cuándo [k]?
Pista 19
El seseo.
Pista 20
En una entrevista de trabajo, hablando del currículum.
Pista 21
Describir una imagen.
Pista 22
Las acciones de una persona.

Módulo 3: Describir la ropa.
Pista 23
De colores.
Pista 24
¿Te gusta esta camisa?
Pista 25
Un sombrero blanco.
Pista 26
Llevas una camisa preciosa.
Pista 27
Sobre gustos no hay nada escrito.
Pista 28
Quería una camisa.
Pista 29
¿De lana o de algodón?
Pista 30
Un traje de cuadros.
Pista 31
Haciendo una reclamación.
Pista 32
Un plato precioso.
Pista 33
Ahora tú.
Pista 34
Describir la ropa.
Pista 35
Reclamar.
Pista 36
El doble pronombre.

Módulo 4: Expresar la opinión.
Pista 37
¿Y tú qué opinas?
Pista 38
Las diferencias culturales.
Pista 39
Las letras *l* y *r*.
Pista 40
¿Está usted de acuerdo?
Pista 41
No es verdad.
Pista 42
¡Pero hombre!
Pista 43
¿Qué sabes hacer?
Pista 44
La unión de vocales.
Pista 45
Ahora tú.
Pista 46
El mapa turístico de España.
Pista 47
Expresar acuerdo y desacuerdo.
Pista 48
Los pronombres posesivos.
Pista 49
Comunicación intercultural.

Módulo 5: Describir el entorno.
Pista 50
La casa era mucho más pequeña.
Pista 51
Lo sabía.
Pista 52
¡Qué casualidad!
Pista 53
En la agencia inmobiliaria.
Pista 54
¿Trabajáis o estudiáis?
Pista 55
Decíais.
Pista 56
La entrevista de trabajo.
Pista 57
¿*Be* o *uve*?
Pista 58
Ahora escucha.
Pista 59
Actores hispanos.
Pista 60
El uso del indefinido y del imperfecto.

Módulo 6: Hablar de la salud.
Pista 61
La cara está en la cabeza.
Pista 62
Me encuentro mal.
Pista 63
No se puede llegar tarde.
Pista 64
Hay que estar pronto en el aeropuerto.
Pista 65
¿Qué oyes?
Pista 66
¿Puedo pasar?
Pista 67
Las tildes.
Pista 68
La sanidad pública y privada.
Pista 69
El cuerpo humano.
Pista 70
Los estudios universitarios.